現代イスラムの潮流

宮田律
Miyata Osamu

a pilot of wisdom

JN227814

まえがき

日本では、どうも「イスラムはつきあいにくい」というイメージが強い。新世紀の始まりの二〇〇一年、インドネシアでは、イスラムが不浄視する豚肉の成分を使ったということで、〔味の素〕がボイコットされた。また、アフガニスタンのイスラム勢力タリバーンは、シルクロードの貴重な文化遺産であるバーミヤンの大仏を爆破した。さらに、サウジアラビアでは、日本の人気アニメ、ポケットモンスターのカードが禁止されている。ポケモン・カードは、イスラムでは禁じられているギャンブル性が認められることと、カードのデザインの中に、イスラム世界の「敵」とも見なされるイスラエルの国章であるダビデの星に類似したものが描かれていることなどがその理由だという。

これらの事件は、日本人とイスラムの距離を示すことになったが、同時にイスラムに対する理解が欠如していると、ムスリム（イスラム教徒）との円滑な関係が築けないことを痛感させることにもなった。〔味の素〕の事件は、日本人のイスラムに対する無理解や不注意から起こされたものだ。この〈味の素事件〉のように、日本人にとって、イスラムはまさに〈ブラックボックス〉のような存在だ。日本は、イスラム地域と地理的に接していないし、また日本で暮らすムスリムの数も欧米に比べるとそれほど多くない。圧倒的に多くの日本人が「イスラムって何？」という思いをもっていることだろう。

さらに、アフガニスタンのタリバーンのように、日本人とも関わりが深い仏像を爆破するような組織が、活動の正当性を〈イスラム〉に求めると、日本人の〈イスラム〉に対する印象そのものもこうした極端な行為や解釈に影響されがちで、イスラムは危険だとか物騒だというイメージがつきまとうことになる。

しかしタリバーンのような教条的な思想や行動は、ムスリムの間でも多くの支持を得られていない。自由を求める人間の基本的な要求は、宗教の相違があっても、世界のどこでも変わりなく、タリバーンのように、女性の社会的進出を制限したり、男性にあごひげを伸ばさせるなど人々にイスラム的な画一化を強制する方策は、アフガニスタン人にも評判がよくない。女性に〈ヒジャーブ（身を覆う布）〉を強制するイランでも、自由の拡大を訴える改革勢力に対する支持が集まるようになった。

タリバーンによるイスラムの解釈は、ムスリムの間では主流ではない。現に、仏像破壊を支持する声明は、イスラム世界からほとんど聞かれなかったし、私の周辺で暮らす中央アジアのムスリムは、タリバーンの考えは極端で、バーミヤンの大仏破壊の行為は、とてもイスラムの考えからは容認できないと語っていた。イスラムの教祖であるムハンマド（マホメット）も偶像を破壊したが、それはあくまで同胞たちにイスラムの原点である唯一神（アッラー）への信仰に戻ってほしかったからだ。タリバーンの行為は、アフガニスタンのローカルな部族社会の伝統的な理解や慣行に従ったものといえよう。

二一世紀になって、イスラムは、アメリカでも二番目に信徒数が多い宗教になりつつあり、アフリカでもその勢いを拡大させている。さらに、イスラムに政治や社会の改革の論理を求める「イスラム政治運動（イスラム原理主義）」は、政治の腐敗、貧富の格差の是正などを求めるムスリムの間で求心力を高めるようになった。イスラムが人々の間で根強い支持を得るのは、それが七世紀にアラビア半島で成立してから、正義と平等を訴え続けてきたからだ。これら二つの概念は、イスラムの宗教的理念の中心に位置する。

アラブ人がササン朝ペルシアを征服した時、ゾロアスター教徒のイラン人たちがイスラムに改宗していったのは、アラブ人たちの強制によるものではなく、彼らがペルシアの階級社会よりも「平等社会の実現」を唱えるイスラムに魅力を感じたからだ。イスラムは、欧米の一部で唱えられるような荒唐無稽、あるいは暴力的な宗教では決してない。もしそうだとしたら、世界一二億の人々の信仰は得られない。

ムスリムが「つきあいにくい隣人」という印象をもたれるのは、豚を不浄視したり、また婦人がヒジャーブを着用するなどイスラムの宗教的慣行と、欧米や日本の文化とのギャップがあるからだ。ドイツではトルコ人がドイツ人になりきろうとしても、ムスリムだという偏見や差別によって、イスラムのアイデンティティーに戻ってしまう。それが、両者の誤解をいっそう増幅させることになる。それは、アメリカでも同じだが、世界的な富の偏在を背景に貧しいイスラム諸国から欧米や日本など先進諸国にムスリムの流出は続き、日本もイスラムやムスリムと接触する機会を増やしていくだろう。

ムスリムとのより円滑な交流を図り、イスラム世界との無用な摩擦を避けるためにも、私たち日本人は、イスラムに対する知識や理解を深めなくてはならない。その意味で、本書は日本人にとって「ブラックボックス」ともいえるイスラムの世界を平易に解説することを目指したものだ。イスラムの宗教慣行、民族、パレスチナ問題、イスラム政治運動、イスラム過激派の主張や活動など現代イスラム世界のカギとなる問題を、筆者の現地での体験などを交えて説明してみた。

本書の作成にあたっては、集英社の辻村博夫氏から貴重なアドバイスや温かい励ましのお言葉を頂いた。厚く御礼を申し上げたい。また、本書の内容は、平成一二年度国際交流基金フェローシップ事業「ユーラシア中西部におけるイスラム過激派の台頭構造と日本外交」によるフィールド調査にも基づいている。
イスラムとはどんな宗教か、現代におけるイスラムの意義とは何か、また私たち日本人はイスラムといかにつきあっていくべきか、本書がこれらの問いに対する解答を少しでも提供できればと願っている。

二〇〇一年四月

宮田　律

資料:宮田律著『イスラムでニュースを読む』(自由国民社、2000年)

イスラム世界地図
イスラム諸国会議機構加盟国
（パレスチナを含め55の国と地域）
イギリス
ドイツ
フランス
アルバニア
トルコ
シリア
レバノン
ヨルダン
チュニジア
モロッコ
アルジェリア
リビア
エジプト
サウジアラ
モーリタニア
マリ
ニジェール
セネガル
ガンビア
チャド
スーダン
ブルキナファソ
ギニアビサウ
ギニア
ジブチ
ナイジェリア
スリナム
シエラレオネ
ベナン
トーゴ
カメルーン
ウガンダ
ガボン
ブラジル
モザンビーク
南アフリカ
大西洋

現代イスラムの潮流　目次

第一章　イスラムとは何か

イエメンの首都サヌアの市で野菜を売る少年

イスラムのイメージ

イスラムとはどんな宗教だろう？

多くの日本人にとって、イスラムの世界とはどんなイメージをもたれているのだろう。ある人は、昔読んだ『アラビアン・ナイト』を思い浮かべるかもしれない。あるいはイラン・イラク戦争や湾岸戦争を思い出す人がいるかもしれない。ある人は、キルギスで日本人人質事件を起こしたグループが〈イスラム過激派〉だといわれていた、と記憶しているかもしれない。

近年、多くの日本人のイスラムに対するイメージは、〈物騒な宗教〉〈怖い宗教〉というものだろう。それは、イスラムが日本でニュースで扱われる時、テロや紛争、また犯罪と結びついて報道されるからだ。一九九七年一一月にエジプトのルクソールで発生した観光客襲撃事件、九九年夏に発生したキルギスの日本人人質事件、さらに九九年秋に「イスラム犯罪集団の掃討」を口実にロシアが始めたチェチェン進攻など。

しかし、テロを行うイスラム過激派に対する支持は、イスラム世界ではごくわずかだ。実際、アラビア語の〈イスラム〉という言葉は、〈平和〉を意味する〈サラーム〉という言葉から派生している。アラビア語で「こんにちは」は、「アッサラーム・アレイクム」で、これは直訳すれば「あなたの上に平安あれ」という意味だ。実際、ムスリム（イスラム教徒）には「イスラムは平和を求める宗教です」と語る人が多い。また、湾岸戦争が終わって間もない頃、「戦争を起こしたサダム・フセインは地獄に行きます」というムスリムの発言に接したこともある。〔イスラムは危険な宗教〕〔ムスリムはテロをする人〕というイメージは、日本人とイスラムとの距離をそのまま表わしているのかもしれない。日本は、先進諸国の中でイスラムとの関わりが最も希薄な国といってもよいだろう。中東イスラム世界とは地理的に離れ、また日本にいるムスリムの数もヨーロッパやアメリカと比べるとそれほど多くない。それに対して、ヨーロッパは中東とは陸続きであったり、地中海を挟んで向かい合ったりしている。また、アメリカでも中東世界各地からムスリムの移民が住み着き、さらにアフリカ系アメリカ人の間でイスラムはその信徒の数を次第に増やすようになった。

日本は、欧米ほどイスラムとの関わりが密ではないが、しかし今後イスラムとつきあう機会がますます増えていくに違いない。イスラムは全世界で一二億の人々によって信仰されている宗教だ。アメリカでももうじきキリスト教に次いで二番目に信徒の数が多い宗教になろうとしている。二〇二〇年代にはムスリムの人口は、世界の三分の一を占めるという見積もりもある。日本でもパキスタンやバングラデシュなど南アジアからのムスリムの労働者は次第に増えているし、また日本人のイスラムへの改宗も増加している。

イスラムという宗教が生まれ、イスラムが信仰されている〈中東〉とはどのような世界なのだろう。日本人はこの〈中東〉という言葉さえ無頓着に使用しているかもしれない。なぜ〈中東〉という表現が使われるのだろうか。それは、あくまで西欧から見た概念だ。私たちの日本や、中国や韓国を〈極東〉、すなわち遠い東（Far East）というが、〈中東〉とは西欧から見てそれよりも近い、中間の東（Middle East）という意味になる。地理的には東はイランやイラク、またアフガニスタンを含める場合もあり、西は北アフリカのモロッコやモーリタニアまでの範囲だ。

ムハンマド

そして、この〈中東〉では主にイスラムが信仰されている。イスラムはムハンマドが始めた宗教だ。西暦五七〇年にメッカに生まれたムハンマドは、隊商の執事としてアラビア半島の交易に従事していた。当時のアラビア半島は、それぞれの遊牧部族がそれぞれの神を祀《まつ》る多神教の社会だった。その中でメッカは遊牧社会から商業の一大センターに変貌を遂げ、その過程で貧富の格差の拡大などさまざまな矛盾も生まれつつあった。内省的なムハンマドはメッカ郊外のヒラー山で瞑想にふけるようになったが、六一〇年に突如神の啓示を聞く。それから六三二年に亡くなるまで啓示を伝え続けた。

ムハンマドが聞き、人々に伝えた啓示をまとめたものがイスラムの聖典であるコーランだ。それゆえ、イスラムでは、ムハンマドは神ではなく、神の言葉を預かった者、すなわち「預言者」という位置づけがされている。ムハンマドは多神教の信仰を宗教の堕落と考え、人々に唯一絶対の神であるアッラーへの信仰に回帰するように訴えていく。本当の神は唯一であるというのがムハンマドの宗教的確信だった。彼は、宇宙の創造主で、最後の審判を行う唯一の真の神（アッラー）への回帰を唱えた。

イスラムでは、アッラーが主であるならば、ムスリムはアッラーの僕《しもべ》であり、アッラーに対する服従は最も自然で、適切な反応であると考えられた。「ムスリム」という言葉は、「神に服従し、帰依《きえ》する者」を意味する。それはまたアッラーの指導に従い、アッラーの意志を実現する者なのである。この世における人間の使命は、神の意志に服従し、またそれを実現することにある。神は万物に対して人間を信頼するよう命令を下したが、そのため人間にはイスラムの秩序、すなわち地上における神の支配を確立し、その拡大を図っていく義務があると考えられた。

五行と六信

社会の改革を目指したムハンマドの意図は、イスラムの教えの中に明瞭に表われている。イスラムではムスリムの最も基本的な宗教義務として〔五行（五つの行い）〕を設けているが、その中に〔喜捨（アラビア語でザカート）〕を求めている。この喜捨は救貧税で、収入の二・五％を貧しい人々のために与えるものだ。富の追求は善とされながらも、それはイスラム共同体全体の利益を考慮しなければならない。このように、イスラムは平等主義の性格が色濃い宗教といえる。

イスラムは共同体意識の強い宗教で、それもやはり〔五行〕の中に表われている。五行の中の〔信仰告白〕は、「アッラーの他に神はいない。ムハンマドはその使徒である」と唱える。これによって、ムスリムは神が唯一であることと、自らがイスラム共同体（ウンマ）に属していることを自覚する。戒律の厳しいイスラム主義を奉ずるサウジアラビアの国旗の中にはこの〔信仰告白〕が書かれている。

五行の中の〔礼拝〕は、一日に五回、日の出、正午、午後、日の入り、夜にメッカの方角に向かって行うものだが、特に金曜日の正午に行う集団礼拝によって、ムスリムは信徒相互の連帯意識を強く意識することになる。さらに、〔ラマダーン（断食月）〕の日の出から日の入りまで行う〔断食〕は、空腹によって、精神の清らかさを培い、神を生き生きと思念するとともに、食に困る貧者の苦しみを体験するという目的ももっている。

また、アッラーの神が祀られているカーバ神殿があるメッカへの〔巡礼〕は、少なくとも人生に一度、行うことが望ましいとされている。毎年世界各国から二〇〇万人もの人々が参加するこの〔巡礼〕を通じてムスリムは、民族、人種、経済的背景を超えた国際的なムスリム共同体の連帯や平等性を強く意識することになる。〔巡礼〕のクライマックスはアラファトの丘における礼拝だ。ここは、預言者ムハンマドが最後の神の啓示を伝えた場所とされている。アラファトの丘でムスリムは、罪を悔いて神の前に立ち、自らの、またすべてのムスリムに対する神の許しを乞う。

これらの五行を通じて、ムスリムたちは、イスラムの社会的公正観、ムスリムとしての一体性、共同体意識、さらには相互扶助の観念を強く体得する。

五行と並んで、イスラムでは〔六信〕といって、以下の六つのことを信じなければならないとされている。

まずムスリムに求められているのは、神である〔アッラー〕を信じることである。唯一神のアッラーを信じるムスリムは、真の唯一神の信仰者であることに誇りをもたなければならない。

二番目は〔天使〕であり、天使は神によって創造され、神の命令を伝える存在である。イスラムでは預言者ムハンマドもその死後、大天使のガブリエルによってエルサレムから天国に召されたと考えられている。

三番目は〔啓典〕で、コーランでは、タウラート（モーゼ五書）、ザブール（詩篇）、インジール〈福音書〉を〈啓典〉として挙げている。クリスチャンとユダヤ教徒は〈啓典の民〉と呼ばれ、本来はムスリムと同じ信仰をもつとされている。〈啓典の民〉は神と最後の審判の日を信じ、善行を積めば天国に行くことができる。しかし、これらの〈啓典の民〉は啓典を誤って理解し、正しい信仰の道を踏み外していると預言者ムハンマドは考えた。それゆえ、コーランは〈啓典の民〉の誤解を正すために啓示されたものなのである。

四番目は〈預言者〉で、預言者は人類に神のメッセージを伝える人間たちである。コーランは、アダムに始まってムハンマドに終わる預言者の系譜を伝えている。預言者の中には、モーゼやイエスも含まれる。しかし、イスラムでは、アブラハム、またモーゼやイエスに与えられた啓示には、本来のものから逸脱した内容も含まれ、ムハンマドこそが、神の正しい啓示を伝えた最後の預言者と考えられている。

アッラーは、最後の預言者ムハンマドにコーランを与えたが、このコーランの中には神の最後で、完全な形の啓示が示され、ムスリムに真の信仰の道を説いている。預言者ムハンマドは、単に啓示を伝える神の使者としての役割を担うだけではなく、彼の言行はムスリムの生活上の規範なのだ。

五番目は、〈最後の審判の日〉で、コーランでは、人は最後の審判の日に直面しなければならないとされている。それゆえ、人間は神の命令に従い、他者に対しては哀れみと正義をもって臨むことが求められている。イスラムの教義によれば、〈復活の日〉にすべての人間は蘇り、神の前に審判を受けにやって来る。その時、人間の行為が判断され、邪《よこしま》な行いをした者は、地獄に導かれ、正義の行いをしてきた者は天国に迎えられる。また、イスラムの大義のために殉じた者は、天国に招かれるとされている。

最後、六番目は〈予定〉であり、ムスリムはアッラーが世界の創造主で、その維持者であると信じている。現実にあることは、神の意志の表出に過ぎない。それゆえ、神が望んだことを人間が変えることはできないのである。イスラムに帰依することは、平和をもたらす神の意志に調和して暮らすということになる。イスラムを拒絶することは、神によってつくられた自然の秩序に逆らうものであり、世界にある混乱に対して責任を負わなければならない。

ムスリムの生活習慣

西アジアの遊牧社会で生まれたイスラムを背景にムスリムは、日本など東アジアやキリスト教ヨーロッパ社会とは異なる独特な生活習慣を発展させてきた。

〈五行〉は、ムスリムの最も基本的な行いだけに、この実行がイスラム社会を特徴づけていることは間違いない。イスラム世界を旅すると、朝、まだ薄暗い頃、モスク（イスラムの寺院）から拡声器で礼拝への呼びかけが聞かれ、目が覚めることがある。これがアザーンだ。アザー

パキスタン・ペシャワルでの街頭礼拝。金曜正午の礼拝が一番賑わう

ンは、ムアッジンと呼ばれる人が「アッラーは偉大なり、私はアッラーの他に神なしと証言する、私はムハンマドがアッラーの使徒であることを証言する、いざや礼拝に来れ」などとメッカに向かって唱えている。

礼拝は、墓地などの不浄の場所以外ではどこで行ってもよいとされている。礼拝の前にムスリムは手、顔などを洗い、身を清める。モスクの周辺に多くの水道が備えられているのはそのためだ。礼拝の際に向かうメッカの方角は「キブラ」といい、イスラム世界のホテルの部屋や空港などでは矢印で記されている。

また、断食では、食べ物ばかりか、水、唾液を飲むこと、さらには性行為すらも禁じられている。ラマダーンの間は、レストラン、食料品店も営業を行わない。しかし、このラマダーンの慣行もそれぞれの国や人によって多様性がある。イスラム暦は、太陰暦で、一年間が三五四日のため、それぞれの月は一年毎に一〇日余り早くなる。たとえば、一九九九年のラマダーンは西暦の一二月九日に始まり、二〇〇〇年の一月七日に終わったが、二〇〇〇年は一一月二七日に始まり、一二月二六日に終わった。

イスラム世界を旅行していて、このラマダーンを意識していないと、突如レストランが休業となり、食事にありつけないことがある。「イスラム国家」を自任するイランに滞在した時、ラマダーンのため、食事にありつけずに困った。イランでは厳格にラマダーンが守られ、その期間、レストランや食料品店はまったく営業を行わない。タクシーの運転手にどこか食事ができるところはないかと尋ねたら、郊外のレストランに連れていってくれた。そこにはイラン人の客たちがいて食事をとっており、同行したタクシーの運転手も一緒に食べ始めたのに、「おや?」と思ったことがある。

食べ物といえば、イスラムでは豚は不浄視して食べない。また、食べることを許可されている羊肉や牛肉でも殴り殺されたり(撲殺)、絞め殺された(絞殺)動物の肉は食べない。これらの方法で殺された動物の肉は血が体内で固まり、不衛生になると考えられている。食肉処理は、動物の頸動脈を切ってアッラーの名前を唱えながらしなくてはならないとされている。しかし、日本ではこうした方法でつくられる食肉は普通の肉屋では売られていない。日本で製造される食肉はほとんど撲殺か電気ショックによるものだ。そのため、イスラムの戒律を厳格に守るムスリムは、専門の精肉店に行くか、自らが処理しなければならない。

しかし、この食べ物に関する規定もムスリムによってそれを守る度合いはまちまちだ。イランで会った日本で生活をしていたというイラン人は、チャーシューメンが好きだといっていたし、ポークカツを好むムスリムだっている。

また、イスラムでは、豚と同様に犬を不浄視する。たとえばイランで使われるペルシア語では、「バカヤロー」にあたる表現を「ペダレ・サグ（犬の息子）」という。犬を蹴飛ばしたり、棒でぶったりすることもしばしばで、欧米の動物愛護協会の人たちが見れば、怒りが爆発しそうな扱いだが、犬のほうもどことなく卑屈になって街を歩いている。街で見かける犬の数も欧米に比較するとそれほど多くなく、ペットとして扱うという習慣は、トルコなどヨーロッパ化した国を除いてほとんど見られない。

犬にまつわる国際事件は、一九八〇年代の終わりに発生した。イギリス人作家、サルマン・ラシュディは、『悪魔の詩』という小説の中で、Mahound という人物を主人公にしたが、これは明らかに預言者ムハンマドになぞらえたものだった。Mahound の〔hound〕は英語で〔犬〕を意味する言葉で、預言者を冒瀆《ぼうとく》するものとホメイニには思われた。そのこともあって、ホメイニはサルマン・ラシュディに対して死刑判決を下したが、この〔判決〕に対してイギリスなど欧米では人権を侵害するものとして猛烈な反発があった。

さらに、イスラムでは酒を飲むことも禁じられている。飲酒の禁止の程度は、イスラム諸国それぞれによって異なるが、サウジアラビア、イラン、スーダンなどイスラムの戒律を厳格に守る国では、まったく口にすることができない。他方、エジプトやトルコなど世俗化が進んだ国では、国産のビールが生産されるなど容易にアルコール類が手に入る。また、シリアやレバノンでは、アラクという強い焼酎が盛んに飲まれている。イランのルーミー（一二〇七〜七三年）のように酒と女性をこよなく愛した詩人もいた。酒が禁じられるのは、人間の神経をマヒさせるためだが、同じ理由で麻薬も厳禁だ。現在、アフガニスタンが世界最大の麻薬生産地と見られているが、アフガニスタンで麻薬の生産、売買に携わるタリバーンやムジャヒディン（イスラムの聖なる戦士の意味）グループはイスラムの教えに明らかに背いている。

イスラム世界を歩いて真っ先に気がつくのは、女性が身を覆う黒いベール（ヒジャーブ）を着用していることだろう。なぜ女性がベールを身にまとうのか。それは、イスラムでは女性の肉体は夫や親族のみに見せるべきであり、不特定多数の男性にある種の情念を起こさせてはいけないという考えがあるからだ。すなわち、女性に対しては慎み深さが尊ばれる。女性のベールの着用、社会からの隔離は、女性の保護やその名誉を表わすものだ。イスラム世界にやって来る欧米人観光客がノースリーブや短パンなど肌を露出した格好で街を闊歩することが、ムス

ヒジャーブをまとうのがムスリム女性のたしなみ。イラン・テヘラン

リムに反感をもたれるのはこうした理由からだ。

ベール着用のため、イスラム世界では、若い女性の容姿は他人にはよく分からず、男性は結婚相手の選択に困ることがある。学生時代にペルシア語を教わったイラン人の先生は、「以前、イランでは公衆浴場（ハンマームという）の垢すりの従業員に若い女性の容姿や身体的な特徴を尋ねていた」と語っていた。

イスラムでは、妻帯は四人まで認められる。これは、預言者ムハンマドの時代に、イスラム世界を拡大していく過程で行われた戦争で戦死した男性の未亡人を救済するために、正当化されたと考えられている。事実、預言者ムハンマドにも最初の妻ハディージャが亡くなった後、ふたりの妻とひとりの内妻がいた。しかし、この重婚は無制限なものではない。夫は複数の妻を愛情や経済支援について平等に扱わなければならないとされている。たとえば、住居、生活費、衣服や食事、さらに性的な営みにおいても不均等になってはならない。

また、シーア派イスラムでは、ムトアという一時婚が認められている。このムトアは、男女の合意と契約的義務によって成立する。契約期間中、男性は女性に対して経済的支援を与え、また契約が終わるに際しては一定の額の金が支払われる。シーア派の信仰が盛んなイランではこのムトアが行われているが、男性が本妻以外の女性とこのムトアを行ったことによって、家庭不和に陥ることもあるという。イランでは、男女の古くて新しい交際方法としてこのムトアがますます流行している。

経済活動でイスラムに特徴的なことといえば、〔リバー（利子）〕が禁止されていることだ。これは、イスラムの経済的平等主義と関連するものだ。この〔リバー〕については、単なる利子と見るか、あるいはその極端な状態である「暴利」と見るか、イスラム世界では見解が分かれているが、いずれにせよ利子が人々の間の経済格差を広げるものと考えられていることは間違いない。現代のイスラム銀行では、預金者と銀行が共同で企業経営を行い、預金額に応じてその利益の配当を行う方式や、また銀行と融資を受けた事業主が共同事業を行い、利益を配分する方式などがある。

イスラムでは正当な労働によらない収入は厳に戒められ、ギャンブルは禁じられている。イスラム世界の高級ホテルに行くと、サウジアラビアなど湾岸の王族がカジノでルーレットなどに興ずる姿を見かけることがあるが、それはもちろんイスラムの教えに背くものだ。日本人の企業関係者などは一チップ一ドルで賭けているのに、王族が一チップ一〇〇ドルで遊ぶ姿は、ムスリムの一般大衆から見れば〔堕落〕と映るだろう。サウジアラビアは、こうした富裕な王族がいる一方で、石油産業などで働く一般労働者の収入は、一カ月平均で四〇〇ドル前後という状態だ。実際、現在のイスラム主義者はカジノの存在自体に怒っている。

このようにイスラム世界の生活習慣には、日本や欧米とは違う独特なものが少なくない。それは、イスラムという宗教に対する信仰やそれを育んだ中東の歴史や伝統に根づくものだ。したがって、これらイスラム世界に特有な慣行や伝統を理解しなければ、ムスリムとの円滑なつきあいはできない。イスラム世界のムスリムたちには、過去にイスラム世界に対して侵略などの行為を行ったことがなく、経済発展を遂げた日本人に対して特別な親近感がある。イスラム世界では人種的な偏見はほとんどなく、何かにつけ友好的で、人懐っこいムスリムたちは、日本人との対話や交流の機会を求めている。それに応えるためにもわれわれ日本人はイスラムの生活習慣を正しく知る必要があろう。

イスラムの民族

イスラムという宗教が主に信仰される中東世界は、〈アラブ人〉〈イラン人〉〈トルコ人〉という三つの民族を中心として構成されている。

コーランはアラビア語で書かれているが、このアラビア語を使う人々がアラブ人だ。アラビア語のアラビア文字は、音を表わす表音文字で全部で二八文字である。それから独立した形、文の最初、文の途中、文の最後に用いられる場合で、同じ文字でもそれぞれ形態を変化させる。日本人から見れば、文字はミミズが這ったような形をしているが、少々努力すれば何とか覚えられる。

大学生時代にアラビア語を履修したが、その際担当の教員は、学生ひとりひとりに履修の動機を尋ねた。学生たちは、「アラブ地域に関心があります」「アラブ文学に魅力を感じます」などと真面目に答えていたが、ひとり「将来、アラブに行って石油王の娘をくどこうと思います」と言った学生がいた。他の学生たちには大受けであったが、真面目な先生は顔を赤らめて真剣な表情になった。しかし、石油王の養子になるはずだった彼はアラビア文字を覚えず、授業に来なくなった。

アラビア語はセム語系の言語で、日本人にはなじみが薄い。文章の語順は、動詞＋主語＋目的語が普通である。独特なのは動詞の格変化だろう。この動詞の格が非常に多い。主語がひとり、あるいはふたり、あるいは三人以上、また一人称（私）、二人称（あなた）、三人称（彼ら）、さらに男性、女性で動詞の語尾が変わる。日本人の初学者には難しい言語といえるだろう。アラブ人ですら、外国人には動詞が難しいかもしれないと語る。

コーランに「汝の共同体が最善のものである」と書かれてあるように、特別な優越意識をアラブ人に与えていることは間違いない。イスラム世界の民族は、主に言葉による区分だが、このアラブ人にはさまざまな人々がいて、多様な肌の色、顔つきをしている。

たとえば、アフリカのスーダンは、アラビア語で〈肌の黒い人々の国〉を意味するが、イスラムの信仰をもち、アラビア語を公用語として、自らを〈アラブ人〉と認めている。アラブ人は、東はイラクから西は北アフリカのモロッコまでの地理的範囲で居住する人々だ。特に、古代から文明を発展させたエジプト人には、特別なプライドがあることは間違いない。エジプトは、人口も多く、また地理的にもアラブ世界の中心にあるため、アラブ世界の中では強い発言力をもっている。

また、サウジアラビアがあるアラビア半島のアラブ人は、〈ソウブ〉という白い装束を身につけ、頭には〈クーフィーヤ〉という布を、〈イカール〉という輪でとめている。湾岸は、石油収入で経済的に潤った国が多く、近代的なビルが立ち並ぶ一方で、宗教的には保守的な国が多く、女性の社会的進出もあまり見られない。女性が街頭を歩く姿も少なく、たまに見かける場合も、体全体を覆う黒いヒジャーブを身につけ夫と歩いている。

アラビア半島の南に位置するイエメンは、ヨーロッパ諸国の進出を受けなかったため、中世的な雰囲気を醸し出している。男子は「ジャンビア」という刀剣を腰に差し、さながら江戸時代の侍の雰囲気だ。また、「カート」という葉っぱをいつもほおばっている。このカートにはコーヒーのように、覚醒作用があるそうだ。イエメンに行った際にタクシーに乗ったら、眠気を催した運転手が慌ててこのカートを買い求めたことがあった。また、このイエメンでは集落が小高い丘の上につくられているのをしばしば目にするが、これは他の部族の攻撃を防ぐことを目的としているそうだ。

アラビアのさむらい？　ジャンビアを腰に差したイエメンの男性

イスラムの預言者、ムハンマドはメッカのクライシュ族のハーシム家出身だが、このハーシム家の子孫が現在のヨルダン王家だ。預言者の子孫としてヨルダン王家には特別な政治的・宗教的権威が備わっている。しかし、この権威に安穏とするわけにはいかない。一九五八年にはイラクで革命が発生し、同じハーシム家の王政は打倒された。

キリスト教の聖地でもあるエルサレムを含むパレスチナにはアラブ・クリスチャンが居住し、そのためイスラム政治運動はパレスチナ社会全体に浸透できない。一九六七年の第三次中東戦争以降、エルサレムはイスラエルによって支配された。このユダヤ人による支配を嫌ってエルサレム旧市街のクリスチャン地区からアラブ人たちの姿が近年減っている。

アラブ世界の北アフリカに目を転じれば、マグレブ（日の沈むところという意味がある）三国のチュニジア、アルジェリア、モロッコでもそれぞれ国ごとの特徴がある。

これらの国々は〔ホワイト・アフリカ〕と形容され、黒色人種の国ではなく、人々は褐色の肌をしている。

チュニジアは、ローマと三度のポエニ戦争を戦った都市国家のカルタゴがあったところで、イタリアのローマから飛行機でわずか一時間余りのところに位置している。チュニジア人は、柔和な人が多いせいか、〔乙女〕と形容されている。この国は、美しい海岸線、ローマ時代の古代遺跡などを目玉に〔リゾート〕国家として観光に力を入れるようになった。

それに対して隣国のアルジェリア人は、〔獅子〕と表現され、激しい気性をもつとされている。一九九〇年代、アルジェリアではイスラム過激派の活動が顕著に見られ、軍・警察とイスラム過激派との内戦で一〇万人以上の人が亡くなったと見られている。アルジェリアのイスラム復興が劇的な形態をとったのは、フランスによって一三〇年余り支配を受け、その過程でアラビア語に代わってフランス語が強制されたり、イスラムの信仰が希薄になるなどアラブ人としてのアイデンティティーが抹殺されたことにもよる。

さらに西方のモロッコ人は〈漁師〉と形容されるなど素朴な感性を示している。この国もまた預言者ムハンマドの子孫を自任するフィラール朝の支配が続いている。モロッコは、ムワヒッド朝の旧都であったフェズ、またマラケシュ、アトラス山脈南方に位置するカスバ街道など観光資源に恵まれた国だ。

近現代において〈アラブ性(アラビア語で〈ウルーバ〉といっている)〉が意識されるようになったのは、オスマン帝国の解体過程にさかのぼる。第一次世界大戦中、オスマン帝国のトルコと戦ったイギリスは、帝国領内にいたアラブ人に対して戦争後の〈独立アラブ国家〉を約束し、オスマン帝国に対して〈アラブの反乱〉を起こさせる。イギリスは、メッカの太守(オスマン帝国の地方総督)であったシャリーフ・フセインが預言者ムハンマドの直系の子孫であることに注目し、彼の権威を笠にアラブ人たちの結集を考え、オスマン帝国との戦争に加担させた。

〈独立アラブ国家〉は、シャリーフ・フセインとイギリスのエジプト高等弁務官だったマクマホンの間で一九一四年から一六年までの間にやりとりされた〈フセイン・マクマホン書簡〉で

愛車にまたがるアラビアのロレンス（1888-1935）（ロイター＝共同）

約束された。この間、フセインの息子であるファイサルに従軍し、アラブとの交渉にあたったのは、トーマス・E・ロレンス、すなわち映画で名高い〔アラビアのロレンス〕だった。

しかし、イギリスはアラブ人に対して〔独立アラブ国家〕を約束したけれども、誠実にそれを履行しようとはしなかった。イギリスは、フランスとの秘密条約である〔サイクス・ピコ協定〕によって、オスマン帝国のアラブ地域を両国で分割し、支配することを意図していた。実際、第一次世界大戦後、独立アラブ国家は建設されることなく、アラブ地域はイギリスとフランスが国際連盟から支配を任される委任統治領となった。

このように、アラブ世界の統一による〔アラブ国家〕はイギリスとフランスの帝国主義的野心によって、実現することがなかった。これら二国の委任統治領からは、第二次世界大戦後になって、イラク、ヨルダン、シリア、レバノンというアラブ諸国が登場することになる。そしてイスラエルに対抗する目的もあって、エジプトの大統領ナセルを中心にアラブ世界の統一と繁栄を考えるアラブ・ナショナリズムが台頭した。ナセルは一九五六年に当時イギリスが所有していたスエズ運河を接収し、エジプトの所有にしたことによって、一躍アラブ世界のヒーローとなった。ナセルのアラブ・ナショナリズムの訴えによって、一九五八年にエジプトとシリアの合邦も行われた（一九六一年に解消）。

しかし、アラブ民族の統一を考えたアラブ・ナショナリズムも一九六七年、イスラエルとの第三次中東戦争における無惨な敗北と、一九七〇年のナセルの他界によって次第に退潮していく。アラブ世界の統一はアラブの政治指導者たちの理想であったけれども、アラブ諸国では次第に国家を単位とするナショナリズムのほうが優越していった。それは湾岸戦争の際に、エジプトやシリアなど有力なアラブの国々がサダム・フセインのイラクではなく、アメリカやイギリスなど多国籍軍のほうに味方したことにも表われている。このように、アラブ世界の統一は促進されるというよりも、むしろ分裂が定着するようになった。

繊細な感性のイラン（ペルシア）

ペルシア語を話すイラン人は、イスラム世界では芸術や工芸の面ですぐれた業績を残してきた。ペルシア絨毯《じゅうたん》、ペルシア更紗のテーブル・クロスなどを見れば、それは明らかだ。

ペルシア語はインド・ヨーロッパ語族に属す言語で、英語と同じ仲間だ。このためもあって、イラン人は自らのことを〔白人〕と認めている。実際、一九二五年から四一年までイランの国王であったレザー・シャーは、ナチス・ドイツに共感し、ヒトラーからイラン人がアーリア系の人種であるとのお墨付きをもらっている。イラン人の顔は彫りが深く、明らかにアラブ人とは異なる顔つきをしているが、特に女性は瞳が大きく、チャーミングな人が多い。

ペルシア語で使用される文字は例のアラビア文字だが（ペルシア語の方が四文字多い）、英語の文法と同様に関係代名詞や接続詞がある。現在、ペルシア語が使用されているのは、イラン、中央アジアのタジキスタン、またブハラやサマルカンドなどウズベキスタンの一部、さらにアフガニスタンだ。英語と同系統の言語であるため、英語の単語と似たような語彙がある。

たとえば、英語で兄弟のことを〔brother〕というのに対してペルシア語では〔baradar〕という。また、英語の〔mother〕はペルシア語では〔madar〕だ。

意外かもしれないが、ペルシア語には日本語に入っている語彙もある。〔市場〕を表わすバザールは日本でよく使われているし、〈チャランポラン〉もペルシア語の〈charand parand（たわごと）〉から生まれた言葉だといわれている。さらに、〈フルーツ・ポンチ〉の〈ポンチ〉はペルシア語の数字〈五〉を意味する。また、〈カーキ色〉の〈カーキ〉はペルシア語の〈ハーク（土）〉から生まれている。

作家の松本清張氏は、古代ペルシア文化と日本文化のつながりを指摘したが、古代ペルシアでは、イスラムの信仰が行われる以前、拝火教（ゾロアスター教）が盛んだった。現在でもイランのヤズド周辺で拝火教の信仰が行われている。拝火教はその字の示す通り、火を崇める宗教だが、これと奈良で行われるお水取りの行事の類似性を松本清張氏は指摘した。拝火教では鳥葬が行われ、山の上にある拝火教寺院に人間の遺体を運び、そこで鳥が遺体をついばみ、人間の霊魂が天国に運ばれるという考えをもっている。

イランは、一九七九年のイスラム革命によって、現代における〈イスラム国家〉となった。イランでは女性は身を覆う〈ヒジャーブ〉やコートのような形をした〈イスラム・コート〉を着用しなければならない。これはイランを訪れる外国人観光客にも適用される。冬はまだよいが、夏は相当暑く感じられるらしい。九七年のハタミ大統領の誕生によって、イランでは自由化が若干進行し、イスラム・コートもひざ上のものが認められるようになった。八〇年代末にイランを訪れた時、同行した日本の女子大生のイスラム・コートの丈がひざ上までしかなく、

敬虔なムスリムからは顰蹙をかう肌を露出した欧米の観光客。エジプト

ひややしたことがある。実際、現地で会ったイラン人は「あれでは革命委員会（治安部隊）に捕まるよ」と語っていた。女性たちは政府による措置に抵抗する意図もあって、黒以外のイスラム・コートを着用する場合が多い。

また、イランでは未婚の男女が往来をデートすることや、未婚女性の街でのひとり歩きも風紀を乱すものとして禁じられている。やはり八〇年代末にイランをひとりで訪れた日本人の女子大生はヤズドで革命委員会に身柄を一日拘束された。それも女性に慎み深さを求めるイスラムの価値観からだが、しかしこうした規制は、かえって若者たちの自由への欲求を高めるものであることは間違いない。イランは三〇歳以下の年齢の者が全人口の三分の二を占めるという見積もりもあるほど若者の人口増加が顕著だ。

政府によるさまざまなイスラム規制に対する不満がイスラム共和国体制の動揺をもたらすことがあるかもしれない。実際、一九九九年七月にはテヘラン大学などで、自由化を求める学生暴動が発生した。

イスラムの信仰に関しては、イランではイスラムの少数派であるシーア派信仰が主流だ。シーア派は、預言者ムハンマドの娘婿であったカリフのアリーを正当なムハンマドの後継者（イマーム）と見なしている。イランのシーア派は〔一二イマーム派〕という宗派の信仰が主流となっている。アリーから数えて一二代目のイマームは幼少の時に行方不明になったが、この〔神隠れ（ガイバ）〕になったイマームが、シーア派の信徒が苦難の時代に正義と平等をもたらすために、〔救世主（マフディー）〕としてこの世に再び現われると、〔一二イマーム派〕では考えられている。一九七九年に成立したイラン革命によって、ホメイニがイスラム共和国の最高指導者になったが、イランの最高指導者はこの神隠れしたイマームの〔代理〕としてイランを統治するという建前だ。

イラン人がシーア派イスラムを信仰する一方で、アラブ人がスンナ派イスラムを信仰するため、宗派の相違が両民族のアイデンティティーの決定的な相違として語られることになった。実際、厳格なイスラムの規律を重んずるサウジアラビアは、シーア派を異端と見なし、イランがイスラム世界の指導的な立場に就こうとする姿勢を快く思わない。

アラブとイランは第二次世界大戦後においてもさまざまな機会において競合を続けてきた。エジプトのナセルは、〔ペルシア湾〕のことを〔アラビア湾〕と呼んだり、またイランの中でアラブ人が多く住む〔フゼスタン〕のことを〔アラビスタン〕と表現したりした。さらにイラクのサダム・フセインは一九八〇年から八八年のイラン・イラク戦争の際に、イランの拡張主義に対するアラブの防波堤の役割を果たしていくと訴えた。またOPEC（石油輸出国機構）においてもイランとアラブのサウジアラビアはしばしば価格設定のうえで方針の相違をあらわにしてきた。

イラン人と日本人の関わりは古代にあったともいわれるが、近現代では、一九〇四年から〇五年の日露戦争に日本が勝利すると、イラン人に驚きをもって受けとめられた。というのも、イラン（当時はカジャール朝ペルシア）はロシアの帝国主義に苦しめられていたからだ。なぜアジアの小国の日本が、自分たちを苦しめるあの強大なロシアに勝つことができたのかという問いをイラン人は発することになる。彼らがいき着いたのは、日本には明治憲法があって体制を強化できたからだ、われわれも憲法をもとうという結論だった。そこでイランでは一九〇五年に憲法を要求する運動が発生する。これがイランの立憲革命だ。

一九五〇年代初頭、イランでは民族主義が台頭し、イランで操業するイギリスのアングロ・イラニアン石油会社の施設は接収され、イランのものとなった。この石油国有化のために、イギリスは他の西側諸国を誘ってイラン石油を国際市場から締め出す措置に出たが、そのためイラン経済はいっそう困難な状態に陥った。その際、日本の〔出光〕のタンカー、日章丸が国際的な封じ込めを破ってイラン原油の買いつけに赴いた。この出光の措置は、国際的な原油ボイコットによって、イラン経済が疲弊する中で行われたため、イラン人に熱烈に歓迎されることになった。

また、イラン革命に至る過程で青年たちの支持を集めた思想家のアリー・シャリアティーが、伝統的なアイデンティティーを保持しながら、近代化を遂げた日本を称賛したことでもわかるように、イラン人の対日観は目下のところ、比較的良好に推移している。一九八〇年代末にイランを訪問した時、日本のテレビ・ドラマの『おしん』が大変な人気で、イラン国内では視聴率八〇％を超えるほどだった。イラン人からストーリーの最後はどうなるかなどとしばしば聞かれることがあった。街のバザールにはおしんのTシャツやトレーナーも土産として売られていた。その当時、イランの街を歩くと、「ジャポン、ヘイリー・ホベ（日本はとてもよい）」などの発言が聞かれた。

アメリカからはテロ支援国家として嫌われているイランだが、そこに住む人々はテロとは何の関係もない気さくな人々が多い。イランが危険な国というのは、政府の上層部の人たちが「イスラエルの解体」や「アメリカは大悪魔」などのスローガンを繰り返し唱えるからだが、こうした一九七九年の革命のイデオロギーも国民の間では支持を失っている。むしろイランは、ハタミ大統領が「アメリカ国民との対話」を訴えたように、国際社会との交流を望んでいる。日本は、アメリカの意向にかかわりなく、対日感情がよいこの国との関係促進に前向きになってもよいのではないか。それが日本の国際社会における信用を低下させることはない。むしろ対イラン政策において孤立しているのはアメリカなのだから。

親日国家のトルコ

トルコ人は、もともと中央アジアに住んでいた遊牧民族であった。トルコ語系の民族は現在でもトルコ共和国の他に旧ソ連の中央アジア諸国やアゼルバイジャン、中国の新疆《しんきょう》ウイグル自治区などに数多く住んでいる。トルコ語は、アルタイ語族に属するといわれているが、これには異説もある。

トルコの古都イスタンブールを訪ねると、日本語を話すトルコ人に声をかけられる機会が多い。バザールなどを歩いていると「バザールでござーる」「もってけ、どろぼう」などというフレーズを繰り返してくる。トルコ人が日本語を覚え、話しかけてくるのは、もちろん彼らからすれば、日本人は金の生《な》る木で、大切な商売相手ということもある。トルコ語が語順や、名詞に性別がないことなど日本語に似ている点が多いというわけでもないが、トルコ共和国は驚くほど親日的な国だ。なぜトルコが親日的なのか。それはトルコの歴史に関係がある。

中世の東西世界を制したのは、オスマン帝国というトルコ人のイスラム国家だった。オスマン帝国は、西は北アフリカのアルジェリアや、またバルカン半島まで、東方は現在のイラク、さらに南方はアラビア半島南端のアデンまでも支配下に置いた。こうして一大世界帝国を築いたオスマン帝国だったが、一八世紀末以降、ヨーロッパ列強の進出に苦しめられることになる。

かのナイチンゲールが従軍したクリミア戦争（一八五三〜五六年）では、イギリス、フランスの支援を受けてロシアにかろうじて勝利を収めることができたが、その復讐に立ったロシアとの露土戦争（一八七七〜七八年）で、オスマン帝国の解体が決定的となる敗北を喫する。ドイツのビスマルクの仲介で成立したベルリン条約で、ルーマニア、セルビア、モンテネグロなどの独立を認め、ロシアにアルメニアのほぼ半分を割譲するなど、その衰退が決定的となる屈辱的な条約を結ばなければならなかった。

こうしてトルコにはロシアに対する民族的な敵対感情が強まったのだが、二〇世紀になると、前にも述べた通り、日本が日露戦争で勝利する。アジアの小国、日本が自分たちを苦しめる大国のロシアに勝ったことは、トルコ人にとっても驚愕すべきこととして受け止められた。そこで、トルコでは日本に対する特別な尊敬が湧きあがることになる。トルコのイスタンブールの街路には、「東郷通り」「乃木通り」など日露戦争当時の日本の将軍の名前が付けられ、また

いまも参拝人が絶えないケマル・アタチュルクの柩。トルコ・アンカラ

〔TOGO〕という会社がつくられたほどだ。

オスマン帝国の解体後、ケマル・アタチュルクらが中心になってトルコ共和国がつくられた。このトルコ共和国は、イスラム世界において初めて〔民族国家〕として成立する。オスマン帝国のスルタン（国王）が預言者ムハンマドの後継者であるカリフの地位を有し、宗教的権威をももっていたのに対して、このトルコ共和国は脱宗教国家となり、共和国の指導者たちは、国家の世俗的な起源を、トルコ語、民間伝承、イスラム以前の古代トルコの伝統といった非宗教的な民族のアイデンティティーに求めるようになった。

共和国初代大統領ケマル・アタチュルクは国家制度・文化の西欧化を推進し、この路線に従ってトルコ語も従来使用していたアラビア文字からローマ字に切り替わった。もともとアラビア文字は子音を表わすもので、母音が八つあるトルコ語には適していなかった。また、アラビア語やペルシア語からトルコ語に入っていた単語も排除され、言語の「純化」の試みも行われている。

トルコは、東西世界の真ん中に位置し、古代から多くの文明が勃興してきたため、歴史的遺跡にはこと欠かない。シュリーマンが発掘したトロイの遺跡、ビザンチン帝国とオスマン帝国の首都であったイスタンブール、凝灰石の奇岩が多く見られるカッパドキアなど。ゆっくり回れば一カ月以上はかかるほどだ。トルコでは、鉄道は発達していないものの、長距離バス網は整備され、ベンツや三菱の新しいバスで国内移動ができる。

アジアとヨーロッパの懸け橋ともいうべきイスタンブールでは東西文化の混淆に触れることができる。イスラムの寺院で、かつてはキリスト教のビザンチン帝国の大聖堂でもあった有名な「アヤソフィア」を訪ねると、天井から「アッラー」「ムハンマド」などと書かれた大きな装飾板が吊るされている一方で、マリアとキリストの聖母子像も壁に描かれている。アジアとヨーロッパの間に位置するボスフォラス海峡は、幅が二キロメートルほどの狭い海峡だが、オスマン帝国末期になると、ロシアの艦船がここを自由に行き来できるようになった。ボスフォラス海峡を望む宮殿でスルタンたちはきっと屈辱的な思いでロシアの船舶を眺めていたことだろう。

トルコもまた、インフレが深刻な国だ。一九九四年には、一二五・五％の物価の上昇率を記録した。イスタンブールの空港に着いて、市内までタクシーで行くと、何百万リラという額になる。日本円に換算すると、だいたい二〇〇〇円から三〇〇〇円の間なのだが、この桁《けた》の多さに愕然《がくぜん》とすることがある。これは途方もないインフレのせいだ。こうしたインフレが貧困層の生活を直撃していることは間違いない。トルコでは、産業化にともなって地方から大都市への移住が行われたが、都市周辺の貧困層に対して福祉党などイスラム政党が医療や教育を施してきたことがイスラム復興の主要な背景となった。

トルコは、共和国になって「脱イスラム」と「ヨーロッパへの仲間入り」を国のスローガンとしたが、そのふたつの目標とも達成することに成功していない。依然としてイスラムは多くのトルコ人の精神的拠り所であり続け、インフレや貧富の格差の拡大など、ヨーロッパ・モデルの近代化に成功しなかったため、人々はいっそうイスラムに救いを求めるようになった。トルコを訪れるたびに、ひざ下まであるコートやスカーフを着用する女性の数が増えている。また、新しいモスクの建立も盛んに行われるようになった。

トルコに対して民族的怨念を引きずるのは、アルメニア人だ。アルメニア人は、クリスチャンで、ソ連から独立したアルメニア共和国を構成している。アルメニアはブランデーやワインの産地として有名だ。街の至るところでワインが売られている。アルメニア人は、名前の最後の音がYANで終わるので、すぐ分かる。ソ連時代に『剣の舞』を作曲したハチャトリヤン、ドイツのベルリンフィルの常任指揮者だったヘルベルト・フォン・カラヤン、田中角栄元首相の逮捕となったロッキード事件の際に登場したロッキード社相談役のコーチャンなど。フランスのシャンソン歌手シャルル・アズナブールも、本名はアズナブーリヤンというアルメニア人だ。

一九一五年、トルコのオスマン帝国はその領内にいるアルメニア人に対する大虐殺を行った。それは、オスマン帝国内で商業などを牛耳るアルメニア人に対する排斥ムードが強かった上に、オスマン帝国と戦争していたロシアにアルメニア人が加担していたと考えられたためだ。この大虐殺によって、オスマン帝国内に居住していた三〇〇万人のアルメニア人のうち二〇〇万人が虐殺されたとアルメニア人たちは主張している。その復讐のために、アルメニア人のテロリストたちは、トルコ人に対する暴力を繰り返してきた。トルコ航空の事務所やトルコ人外交官などがそのテロの犠牲になった。

私がUCLA（カリフォルニア大学ロスアンゼルス校）に留学していた時のことであるが、トルコ史研究の専門家であるスタンフォード・ショウ教授は、トルコ史の講義ができなかった。虐殺の犠牲者は、当時のオスマン帝国の国勢調査記録によれば、せいぜい三〇万人だろうと自著（*History of the Ottoman Empire and Modern Turkey*）の中に書いたからだ。そのため、彼の自宅はアルメニアのテロリストによって焼き打ちされ、彼はトルコ史の授業を「自粛」し、ＦＢＩに守られながら、キャンパスで生活していた。

イスラム世界では、これまで見てきたように、〔アラブ〕〔イラン〕〔トルコ〕という三つの主要な民族が生活している。言葉によって各民族は区別されるが、それぞれ異なる民族性や習慣を発展させてきた。

しかし、イスラム世界では、〔パン＝イスラム主義〕と呼ばれるイスラム世界の統一や団結によって、その繁栄を考える思想もあり、民族の相違を乗り越えた協力を考えている。さらに、イスラム・ダワ（宣教）協会のように、欧米社会でムスリムが真の信仰を忘れないよう、イスラムの教えを説く活動もあり、それが行う教育や福祉事業とともに、ムスリムの連帯意識を強めている。

イスラムは、本来、国や人種、民族、経済格差を超えたムスリムの相互扶助や団結を教える宗教である。民族性が強調されるようになったのは、後で述べるように西欧の〔国家〕の考え方が入ってきた近代以降のことであり、民族の競合や対立はむしろイスラムの教えとは相いれないものなのだ。

第二章　イスラムの宗派と、民族の融和と抗争

ユーゴ政府軍に抵抗するコソボ解放軍。1999年１月（ロイター・サン）

救世主思想のシーア派

イスラムという宗教にも派閥がある。大多数は「スンナ派」と呼ばれる宗派で、イスラム世界のムスリム全体のおよそ九割を占めている。少数派は「シーア派」といい、イランを中心に信仰されている。

スンナ派は、預言者ムハンマドに続くアブー・バクル、ウマル、ウスマーン、アリーという四人のカリフ（イスラム共同体の最高指導者）とその後のイスラム王朝を、イスラム共同体（ウンマ）の正統な指導者と見なし、預言者のスンナ（慣行）に最上の価値を認める。それに対してシーア派は、ムハンマドの娘婿で、スンナ派が第四代カリフと認めるアリーとその子孫のみを正統なイスラム共同体の指導者と考えている。

シーア派信仰が最も盛んな国はイランで、一六世紀にサファビー朝ペルシアで国教として採用されて以来、シーア派信仰が人々の間で根づくことになる。イランの最大多数民族のペルシア人だけでなく、サファビー朝に支配されていたアゼルバイジャン人、またバフティヤーリー、ロルなどの遊牧民族の間でもシーア派信仰が行われている。

イランで信仰されているシーア派の「一二イマーム派」は、前にも書いたが、アリーから数えて一二代目の、行方不明となったイマームが、「神隠れ」の状態にあり、信徒が苦難の時代

イスラム世界の聖地地図

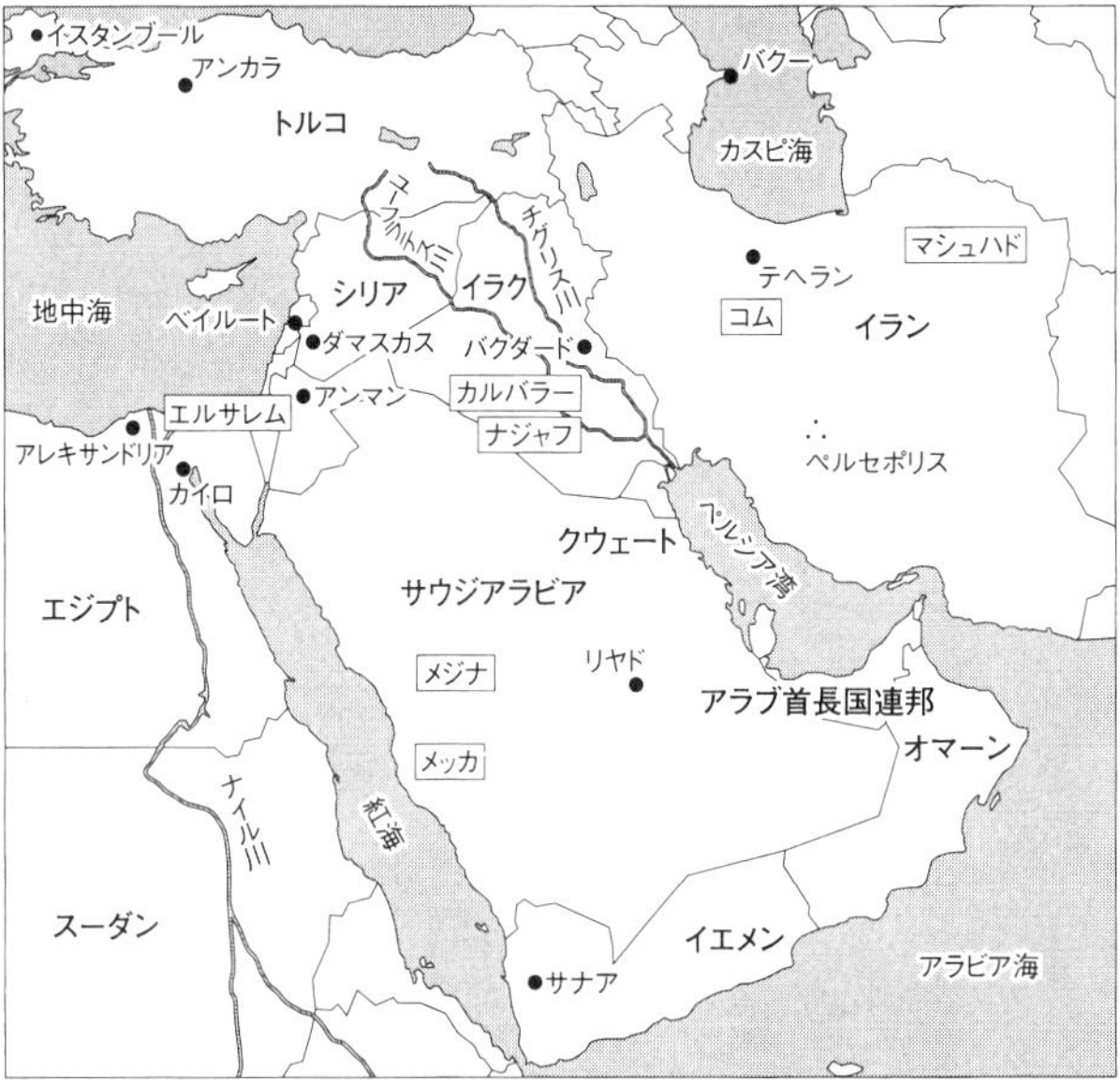

に正義と平等をもたらすためにこの世に〔再臨（ルジューウ）〕すると考えられている。一九七九年の革命で成立したイラン・イスラム共和国の最高指導者は、この〔神隠れしたイマーム〕の代理としてイスラム共同体（イラン）を統治するという考えだ。

イラン革命で現世の政治における聖職者の役割が強調されるようになったが、これは一八世紀のシーア派の神学論争に関連がある。初代イマームであるアリーの墓所があるイラクのナジャフでシーア派の神学論争が行われ、現世の聖職者の判断を重視するウスール派が、預言者やイマームの範例を重んずるアフバール派に勝った。その結果、イランでは聖職者の政治・社会における役割が強調されるようになったのである。

イランでは、アリーは聖人として崇められている。イランに行くと、街角や建物の中など多くの場所でアリーの肖像画を見ることができる。伝統的なイラン音楽を聞かせるレストランやまたイランの古式体操を見せる道場（ズールハーネ）の中にもアリーの肖像画があった。イスラムでは偶像崇拝を禁止しているのだが、このイランではそれは余り意識されていないらしい。革命の指導者ホメイニやその後を継いだ最高指導者、アリー・ハメネイの写真や肖像画もイランではよく目にする。

イランでは、コムやマシュハドのような都市に歴代イマームの墓所がある。神隠れした一二代目に至るイマームたちは、イランではアリーと同様に聖人として尊敬されている。すなわち、シーア派ではアリーの血統を重視するのだ。コムにはシーア派神学の中心であるフェイズィーヤ学院があり、ホメイニや現在のイラン政府高官になっている聖職者たちは皆ここで学んだ。

コムのイマーム廟を訪ねた時、異教徒は入れないということだったが、「日本からイスラムを勉強しにきた」といったら容易に中に入れてくれた。イマーム廟の中は壮麗で、壁や天井には金箔や銀箔が施してあった。

金はイスラム世界では珍重される。イスラム世界のバザールには金の店が並んだ一角が必ず

金製品を扱う店がバザールには必ずある。トルコ・イスタンブール

ある。ムスリムの男性にとっては女性に金の贈り物をすることが男の甲斐性となっている。男たちは一生懸命働いて女性に金の指輪やブレスレットなどをプレゼントする。また、ムスリムは日本の京都の金閣寺を見ると、一様に感激するという。

マシュハドのイマーム・レザー廟を訪れた時、中庭で聖職者たちが、死者の供養を行っていたが、死者の写真と果物など供物を前にしてコーランを読誦していた。何やら日本の死者の弔い方と同じで、ここにもイラン文化と日本のそれとの類似性を感じてしまった。

このコムやマシュハドはシーア派の聖地で、イラン革命以前はイラン以外の国のシーア派教徒たちも訪問していたが、革命後はイランとイラクが対立したこともあって、イラクのシーア派の人々は訪れなくなった。つまりイラン革命によってシーア派世界にも〈国〉という高い垣根ができてしまったのだ。

アラブ人がスンナ派を信仰することもあって、イラン人のシーア派信仰は彼らの民族アイデンティティーの中心としても語られるようになっている。実際、イラン人がシーア派信仰を採用した動機自体が、七世紀から八世紀にかけてのアラブ王朝であったウマイヤ朝の中で、税の徴収など行政上の差別を受けていたことによるからだ。アラブ人に対抗する意味もあってイラン人は、シーア派の信仰を採用するようになった。この宗派の違いもまたアラブ人がイラン人を警戒する原因になっている。

宗派のモザイク社会、レバノン

シーア派はイスラム世界で主流になれなかったために、歴史を経るにしたがって次第に衰退することになった。現在スエズ運河以西のアフリカではシーア派の信仰が見られない。イラン以外で、シーア派の信仰が盛んなのは、レバノン南部、アフガニスタン中部高原、イラク南部だ。

レバノンでは、シーア派の信仰は、七世紀にイスラムがスンナ派、シーア派に分裂した当初から存在していた。実際、イランではシーア派を国教としたサファビー朝の創始者、イスマー

見るからにおいしそうなレバノン料理。サラダや果物が豊富だ

イール一世が一六世紀初頭、国内のスンナ派の人々にシーア派の教えを広めるために、レバノン南部のジャバール・アミール地方からシーア派の聖職者たちをイランに招いている。

宗派のモザイク社会といわれるレバノンは、西欧諸国から「肥沃な三日月地帯」と呼ばれたほど農作物の生産が盛んな国だ。農地は本当に豊かな地味をしている。レバノン料理は、世界中に広がったレバノン人を介して、中東料理の中では最もポピュラーなもののひとつとなっている。パンに塗るペーストのホンモスや、サラダは実にいろいろな種類のものがある。デザートの果物も豊富にあり、とても全部は食べきれない。

レバノンは、ローマ時代のバールベックやスールの遺跡、フェニキア人の港町であったサイ

レバノン・バールベックのバッカス神殿。ローマ時代の壮大な遺跡だ

ダ、ウマイヤ朝時代のアンジャルなど、歴史的遺産にはこと欠かない。いずれも壮大な遺跡ばかりで、訪れる者に感激を与えてくれる。特にバールベックの遺跡などは、周囲の山岳の景色とマッチしてとても美しい。一九七五年から一五年余りに及ぶ内戦の結果、首都のベイルートなどではその爪痕が残っているが、九〇年代に入って復興への動きが活発になり、新しいビルが次第に多く立ち並ぶようになった。

レバノンは、第一次世界大戦後、国際連盟によってフランスの委任統治が認められた。第二次世界大戦中、フランスがドイツに占領される中で、レバノンでは独立への機運が高まり、フランスに代わってイギリス支援の下に独立後のレバノン国家の在り方が合意された。

これが一九四三年の〔国民協約〕だ。これは、レバノンの主要な宗派であるキリスト教マロン派、イスラムのスンナ派、シーア派という三つの宗派による協力によってレバノン国家の建設を考えたものだった。

マロン派は、キリストに神と人のふたつの性質とひとつの意志を認める「モノテリート（単意説）」の教団で、独自の儀式や規律をもち、礼拝にはアラビア語とアラム語を用いる。その創始者は、七世紀のアンティオキアのヨハネス・マロン、あるいは四世紀末と五世紀初めにホムスに存在した僧侶、ヨハネス・マロンの説がある。宗派別人口比によって、行政のポストを配分した「国民協約」でマロン派は国内最大宗派と認められ、大統領と国軍最高司令官のポストが与えられた。また、首相はスンナ派が、さらに国会議長の職はシーア派がそれぞれ務めることになった。

レバノン主要宗派居住地域

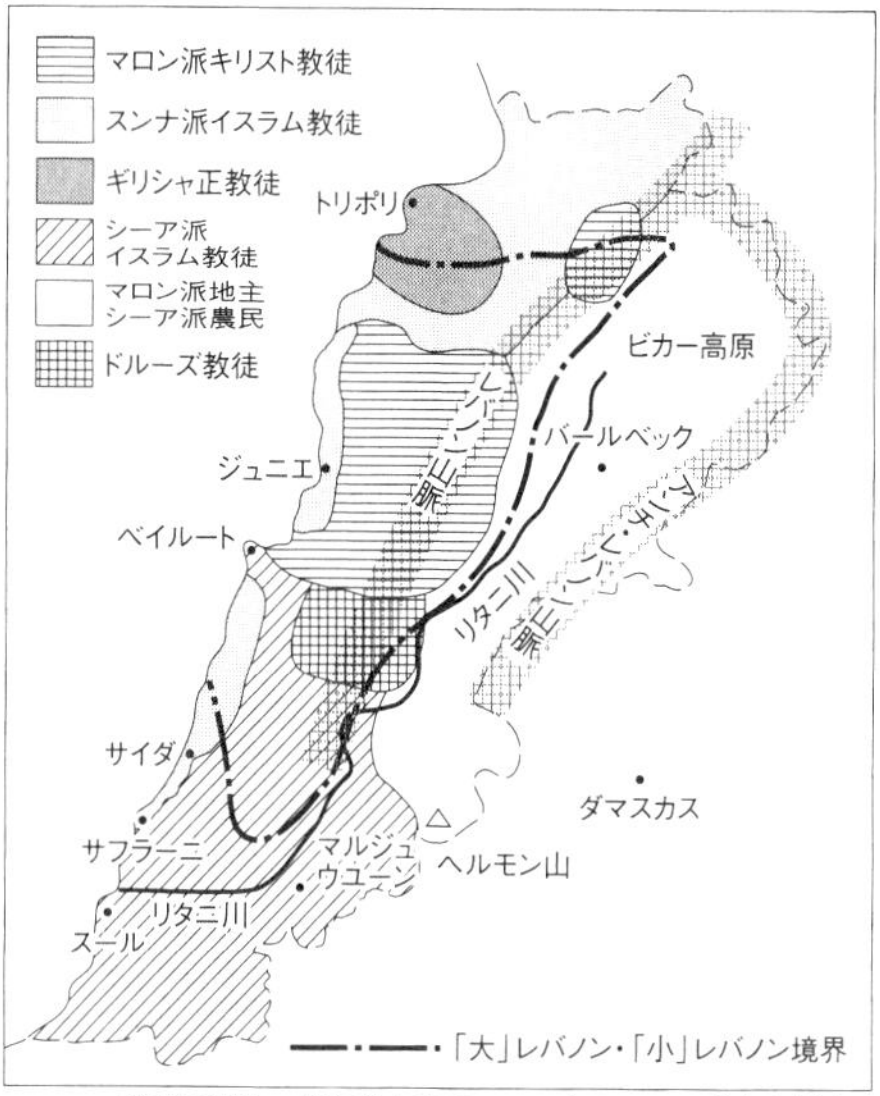

資料：宮治一雄編『中東のエスニシティ――紛争と統合』
（アジア経済研究所、1987年）

この〈国民協約〉の頃、レバノンのシーア派社会は、人口の上ではマロン派、スンナ派に次いで三番目の宗派だったので、シーア派には大統領や首相よりは重要ではない国会議長職が与えられたのだった。しかし、それから四〇年後の一九八〇年代中期にはシーア派は最大の人口を抱えるようになった。シーア派の人口増加は、〈無知〉と〈貧困〉によるものとしてレバノン紳士層からはレバノン国家の〈恥〉だと語られるようになる。シーア派住民が多いジャバール・アミール地方は〈南 al-Janūb〉と侮蔑的に呼ばれ、貧困、病気、非識字者の温床となった。最大の人口を抱えるようになったレバノンのシーア派であったが、水道、電気、病院、学校など社会基盤の整備が他の宗派社会に比べると極端に立ち遅れ、また政府の上級職員になれる者もほとんどいなかった。

このように社会・経済的に恵まれなかったシーア派社会だったが、それを政治化する運動はなかなか現われなかった。一九五九年にイラクからレバノンに移住したムーサー・アル・サドルは、〈被抑圧者の運動〉という組織を設立し、シーア派の権利の擁護を主張するようになる。アル・サドルは、レバノンの〈不正義〉の是正を訴え、シーア派社会の福利の向上に尽力し、その運動はシーア派住民の多くの支持を得るようになった。しかし、彼は一九七八年にリビアを訪れていた際に行方不明となる。この失踪の背景にはリビアのカダフィ大佐の暗躍があったとされているが、レバノンのシーア派の政治意識を高めた点で彼の活動には特筆すべきものがあり、〔神隠れしたイマーム〕として後に逸話的に語られるようになった。

アル・サドルの〔被抑圧者の運動〕は〔アマル（希望）〕という組織になったが、その後レバノンで最大のシーア派組織になったのは、〔ヒズボラ（神の党）〕だ。ヒズボラは、シーア派住民が多いジャバール・アミール、ベイルート南部、またすでに述べた遺跡で有名なバールベック周辺で活動している。バールベックは、シリアのパルミラ、ヨルダンのペトラと並んで、中東の三大遺跡とも称されているが、その周囲にはやはり生活が豊かでないシーア派の人々が多く住んでいる。

ベイルート南部のヒズボラの事務所を訪ねた時、そのスポークスマンにヒズボラの活動の目的を尋ねたことがある。彼は、シーア派社会の生活の改善とイスラエルのレバノン南部からの駆逐を目的としていると答えた。ヒズボラは一九八二年に創設されて以来、イスラエルに対する武装活動をひたすら行ってきた。他方、イスラエルもレバノンのヒズボラの拠点を執拗に爆撃してきた。そのため、ヒズボラの事務所を訪れた時もイスラエル軍に爆撃されるのではないかとひやひやした覚えがある。このヒズボラが人々の支持を得るのは、それが行う教育や福祉など社会事業のためで、イスラエルに対する先鋭な軍事活動ではないことは確かだ。実際、レバノンで会った人たちの多くは、イスラエルとの緊張を招くので、ヒズボラに軍事活動をやめてもらいたいと語っていた。

街頭でサダカ（喜捨）を募るヒズボラ。貧困層からの支持が大きい

ヒズボラは、学校や病院を経営し、またスーパーマーケットの営業を行ったりしている。このスーパーマーケットでは一般の商店より安く品物を扱っている。そのため、貧困層には大変評判がよい。このように、ヒズボラは人々の福利や安寧を考えることによって、支持を増している。もちろん、ヒズボラが人々の生活改善を考えることは、社会的平等や正義を考えるというイスラムの宗教理念に基づく行動だ。

そして、ヒズボラがイスラエル軍やイスラエル北部を執拗に攻撃するのは、彼らが解釈するイスラムの宗教的理由による。ヒズボラは、一九七九年のイラン革命に影響されて、ホメイニの「イスラエルの抹殺」という訴えに共鳴してきた。ホメイニが「イスラエルの抹殺」を唱えるのは、イスラエルが一九六七年の第三次中東戦争以降、イスラムの聖地であるエルサレムを占領してきたからだ。イスラムでは、エルサレム旧市街にある〈岩のドーム〉から預言者ムハンマドが大天使ガブリエルに導かれて昇天したと考えている。

アメリカ政府の一部にはヒズボラがレバノン政治を支配し、イランのような〈イスラム国家〉を建設することを目指しているのではないかという見方もある。しかし、人口が増加したとはいえ、レバノンにはシーア派の他にマロン派やスンナ派という宗派社会が実際に存在する。このように、レバノン社会の宗派構成を見た場合、アメリカの主張は正当性をまったく得られない。また、アメリカはヒズボラのことを〈テロリスト集団〉と形容するが、聖地エルサレムを占領するイスラエルに対して武装活動を行うヒズボラは、ムスリムにとってはテロリストでも何でもない。困窮するシーア派系住民に教育や社会福祉事業を提供するヒズボラの影響力は、当面低下することはないだろう。

〈被抑圧者〉としてのシーア派

シーア派は、イランの一二イマーム派の救世主（マフディー）思想に見られるように、現世を否定的にとらえるが、現代においてシーア派は、レバノンやアフガニスタンのようにスンナ派支配の下で、さまざまな政治、社会、また経済的な抑圧の下に置かれるようになった。

支配民族がシーア派を信奉するのはイラン一国のみで、先に述べたレバノン、アフガニスタン、さらにイラク、バーレーン、クウェートなどでは、いずれも被支配宗派となっている。バーレーンでは、シーア派系住民は、人口の六〇%余りを構成するのに、雇用や教育などの点でさまざまな差別を受け、軍隊にも入ることができない。バーレーンではスンナ派である王族は豪邸で暮らすのに、シーア派の人々は人口稠密な場所での生活を余儀なくされている。そのため、バーレーンではシーア派系住民の苛立ちが募り、暴動がしばしば発生するようになった。

イラクでは、シーア派は人口の五〇%以上を構成するが、支配宗派になれない。イラクで代々政権を担ってきたのは、ティクリートという町の出身のスンナ派アラブ人たちだった。もちろん、クウェート侵攻を起こしたサダム・フセインもこのティクリートの出身だ。スンナ派に比べてシーア派社会は、イラクでも社会・経済的に恵まれない生活を余儀なくされてきた。

イラクでシーア派教徒が多いのは、初代イマームのアリーの墓所があるナジャフや、アリーの息子で、第三代イマームのフセインがウマイヤ朝軍に殺害されたカルバラーなどシーア派の聖地があるためだ。イラン革命の指導者のホメイニもまた国王によってイランを追放された後は、このナジャフに生活して王政を否定する演説を繰り返していた。

第三代イマームのフセインの殉教を悼むシーア派の儀式が〔アーシューラー〕と呼ばれるものだ。アーシューラーの日にシーア派の人々は、フセインの痛みを分かつために自らの体を鞭や鎖で打って行進する。また、レバノンでは額《ひたい》をナイフで切り、血を流して行進したりする。フセインの哀悼祭にはその殉教をモチーフにした演劇が行われるが、フセインの死を悼むことを強調するため、シーア派のムスリムには演技で泣く訓練も備わっている。ホメイニが亡くなった時、イラン人が激しく泣く光景がテレビのニュースで報道されたが、それはフセインの哀悼祭で訓練されているからだと述べる人もいた。

こうしたシーア派はイスラム世界で少数派の地位に置かれ、また社会・経済的にも恵まれなかったため、シーア派には〈抑圧された民〉という思いが強く植えつけられることになった。一九七九年のイラン革命で、革命の指導者ホメイニが〈抑圧された民の解放〉を唱え、それがイスラム世界各地のシーア派系住民の間で支持を集めたのは、シーア派が各国・各地域で差別され続けてきたという一種の〈被害者意識〉から発したものであることは間違いない。今後もイスラム世界の政治をウォッチする際に、政治・社会的な不満をもち、スンナ派との間で対立や確執があるシーア派の動向は、重要なカギを提供するだろう。

イスラム世界の民族紛争とクルド人

イスラム世界で紛争が多発するのは、イスラムという宗教そのものとはほとんど関係がない。紛争は、キリスト教の北アイルランド、また仏教のスリランカにだって発生しているが、紛争と宗教を安易に結びつけることは正しいとはいえない。実際、世界の地域紛争は、イスラム世界で多く発生しているが、それは近代以降の話で、多くの場合、ナショナリズムや貧困、さらに〔国民の細分化〕などの問題が背景にある。

イスラム世界の〔国民の細分化〕は、イギリスとフランスによってもたらされた。これらの帝国主義諸国は、オスマン帝国のアラブ地域をそれぞれの利益に基づいて分割した。前にも述べた通りその結果生まれたのが、イラク、ヨルダン、シリア、レバノンという国々だ。実際、これらの国々の国境線を地図で見てみると、定規で引っ張ったようになっている。イギリス、フランスが定規でもってアラブ地域をその利益配分によってそれぞれの支配下に置いたのである。そのため、同じ民族や宗派が分断されて複数の国家の下に置かれたり、あるいは少数派の民族や宗派がイラクのスンナ派アラブ人のように、建国以来支配民族になることもあった。

ここで問題になるのは、ヨーロッパで生まれたナショナリズムの考えだ。このナショナリズムの考えは、一七八九年のフランス革命で生まれた。それまではフランスという領土的範囲に暮らしている人々には、〔フランス人〕という意識がなかった。しかし、このフランス革命によって、国民に納税と兵役の義務が課せられ、フランスという地理的領域に生活する人々はすべて〔フランス人〕と自覚するようになる。さらに、このフランス革命後、ナポレオンがヨーロッパ大陸制覇に乗り出したことによって、フランスとの対抗上、ドイツ、イタリアでは国家統一事業が行われ、ヨーロッパ大陸全体にそれぞれの民族が自らの国家をもとうとするナショナリズムが普及していくことになる。

このナショナリズムの思想は、オスマン帝国の末期に中東イスラム世界に流入した。この考えによって、オスマン帝国に住んでいたアラブ人、クルド人、アルメニア人などは皆自分たちの国をもとうという考えになった。アラブ人は、そのためイギリスと協力して〔アラブの反乱〕を起こし、イギリスから〔アラブ国家〕の独立を認めてもらうように動いたが、第一次世界大戦後にアラブ人世界全体を統一する〔独立アラブ国家〕はついに出現しなかった。イギリス、フランスは、国際連盟からお墨付きをもらって、イギリスはイラク、ヨルダンを、またフランスはレバノン、シリアを委任統治することになり、独立したいというアラブ人たちの意思を踏みにじっていった。

イラン人と同様にインド・アーリア系に属すクルド人も、一九世紀にナショナリズムの思想に影響を受けて、独立国家をもとうとした。第一次世界大戦後の民族自決主義の考えに基づいて、一九二〇年のセーブル条約は、将来の独立国家を見越した自治をクルド人に与えることを約束していた。しかし、このセーブル条約は忠実に履行されることはなかった。それは、イギリスがクルド人の居住地域にあるキルクークという油田地帯の支配を目指したからだ。イギリスはこのキルクークを含むクルド人地域を自らの委任統治領であるイラクの下に置き、〔クル

クルド人国別人口

	クルド人口	人口比
トルコ	960万人	19.0%
イラク	390万人	23.0%
イラン	500万人	10.0%
シリア	90万人	8.0%
ソ連	30万人	0.1%
レバノン	4万6,500人	1.5%

資料:Minority Rights Group ed.,
World Directory of Minorities
(Essex:Longman,1990). 他

クルディスターン(クルド人の居住地域)

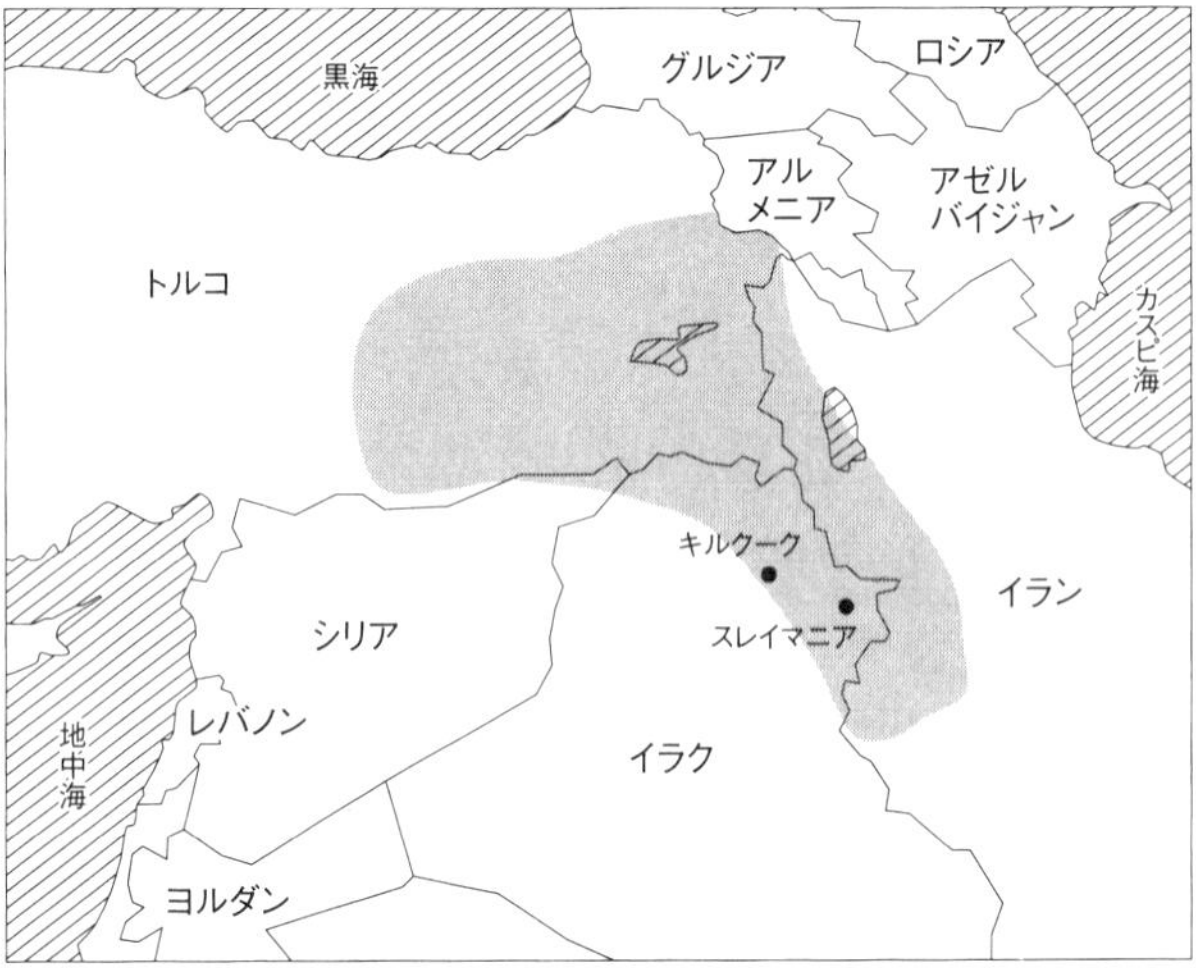

資料:宮田律著『中東政治構造の分析』(学文社、1996年)

ド国家」建設の夢を挫折させた。このように、クルド人の民族的悲願は、イギリス帝国主義の犠牲となったのだ。

クルド人の居住地域は、クルディスターンと呼ばれ、現在トルコ、イラク、イラン、シリア、旧ソ連のコーカサス（主にアルメニア）に分断されて置かれている。トルコは、一九二三年に「トルコ民族国家」となり、建前の上ではトルコ人のみによって構成される国となった。そのため、トルコはクルド人の存在すら認めようとしない。クルド人はトルコ南東部の山岳地帯に住むため、「山岳トルコ人」と呼ばれたりしている。このトルコ南東部も社会基盤の整備が立ち遅れ、一九七〇年代にはクルド人の不満は左翼思想に吸収され、「クルド労働者党（PKK）」などが結成された。このクルド労働者党は現在でもシリアなどの支援を受けてトルコ政府に対する武装活動を展開している。そのオジャラン党首は一九九八年に逮捕されたが、人権を重視する欧米諸国はトルコが彼を死刑にするのではないかと危惧している。

夏にトルコの地中海沿岸のエフェソスという観光地を訪問した時、そこで絨毯《じゅうたん》を売るクルド人の青年に出会った。夏の観光シーズンはエフェソスに来て絨毯を売り、冬はクルド地域に帰り家業の農家を手伝うそうだ。自らを「クルド人」といった時に何となく彼の表情が寂しげだったのを覚えている。それほどトルコでは、クルド人は抑圧されているのだろう。

他方、イラクでは、ムッラー・ムスタファ・バルザーニーという人物によって、クルド人の

クルド労働者党のオジャラン党首（ロイター・サン）

分離独立を求める運動が開始されたが、このクルド人の分離独立運動に手を焼いたイラクのバース党政権は、一九七〇年にクルド人に対して自治協定案を示した。バース党は、現在のサダム・フセインを支える政党だが、イデオロギー的にはアラブ民族の統一と繁栄を考えている。この自治協定案では、独自の文化と言語をもつ民族グループとしてクルド人の存在を認めることになった。しかし、イラク政府はクルド人地域における資源の管理と治安の維持の権限を頑なに主張した。

イギリスと同様に、石油収入を重視するイラク中央政府にとって、油田地帯のキルクークの取り扱いは死活問題だった。そのため、イラク政府とクルド人の交渉は決裂し、七四年に政府軍とバルザーニー軍の間で内戦が勃発した。ここで、イラクのクルド人を支援したのはイランの国王だった。しかし、七五年のアルジェ協定によって、イランが国境のシャットル・アラブ川に関する譲歩をイラクから得ると、クルド人に対する支援を停止する。このイランの援助停止後一週間に満たないうちに、クルドの反乱は鎮圧され、クルド人数千人が分散されてイラク国内の他の地域に強制移住させられた。このようにクルド人は、彼らが置かれた周辺諸国の交渉のカードとして再三使われている。

湾岸戦争を起こしたサダム・フセイン政権の危険な傾向は、国内のクルドなど民族問題もそのひとつの背景であることは間違いない。フセインが属すバース党政権は、国内の矛盾を覆い隠すために、常に国家的危機をつくり、その危機を乗り越えることによって、国民の支持を維持してきた。そうしたイラク国家の危険な傾向は、一九七三年の対イスラエル戦争、七五年のクルド内戦、八〇年から八八年のイラン・イラク戦争、また湾岸戦争において現われた。こうしたイラクの特殊事情から、湾岸戦争が始まる前にイラクが次の戦争に乗り出すことを予言した研究者がいたほどだ。かりにまたクルド人が自治傾向を強めると、イラクは国連の核査察を拒否することなどによって、アメリカとの緊張を招き、国民の結束を呼びかけることがあろう。

イスラム世界でも西欧から流入した「民族国家」の考えが定着するようになった。これは、ひとつの国家はひとつの民族によって構成されるべきだ、という理想論だが、ひとつの国がひとつの民族によって構成されることなど不可能だ。トルコ、イラク、イランのクルド人に対する弾圧はこうした〈民族国家〉の考えに基づいて行われている。

われわれが住む日本も、単一民族によって構成されると考えられがちだが、実際には、アイヌ人や中国人、朝鮮人など複数の民族が居住している。イスラム世界の少数民族に対する人権抑圧は、特にイランのようなイスラムを統治の建前とする国で、ムスリムの連帯や異教徒に対する寛容な扱いを説くイスラムの教えといかに合致させるかという課題を与えている。

イスラムと異教徒との闘争

イスラムでは、ユダヤ教徒やクリスチャンを〈啓典の民〉として寛容に扱ってきた。同じ宗教的ルーツをもつという考えによるものだ。そのため、異教徒は人頭税（ジズヤ）や地租（ハラージュ）を収める限りは、国家によって保護される場合もあった。すなわち、ムスリムにはユダヤ教徒やクリスチャンを敵視する姿勢はなく、これらの異教徒は〈被保護民（ズィンミー）〉と呼ばれ、この〈ズィンミー〉は高貴な意味すらもっている。

オスマン帝国ではミッレト制度というイスラム教徒以外の自治制度があり、この制度の下で、ユダヤ教徒やクリスチャンは多くの自治や自由を享受していた。実際、ユダヤ人は、オスマン帝国の農業、産業、通商の近代化に重要な貢献を果たした。現在でもトルコ人が、ユダヤ人に対する良好な感情をもっているのはそのためだ。

しかし、オスマン帝国の末期やあるいはその崩壊後、西欧のナショナリズムが導入された結果、ムスリムと異教徒との闘争が始まることになる。その最も典型的なものは、後に述べるムスリムとユダヤ人の闘争である〔パレスチナ問題〕だが、ムスリムと異教徒との民族紛争は、冷戦が終結すると、それまで共産主義支配に置かれていた東欧のバルカンで特に激しく発生するようになった。すなわち、冷戦時代はイデオロギーが民族紛争の発生を抑制していたのだが、それが破綻すると、ナショナリズムが解き放たれたかのように、台頭してきたのである。

東欧でのムスリムとクリスチャンの激しい対立は、ボスニアやコソボで見られた。ボスニアやコソボの紛争はニュースでも頻繁に扱われたので、記憶に残っている人も多いだろう。なぜバルカン半島の旧ユーゴではこれらふたつの宗教対立があるのだろうか。

東方正教世界は、東ヨーロッパの民族性と結びついて発展した。すなわち、東方正教会の発展は、各民族の文化を背景とするものであり、礼拝には各民族の言語が使用されるようになった。当初、東方正教会はオスマン帝国よりもローマ教皇に反目していた。オスマン帝国がこの地域に進出するにしたがい、ローマとの競合はなくなり、東方正教会はオスマン帝国の行政官との協力を余儀なくされる。オスマン帝国下ではミッレト制の下に自治を与えられるとともに、東方正教会の信仰は民族アイデンティティーの維持に役立った。

この共存システムは、オスマン帝国が〔ヨーロッパの病人〕といわれるほど弱体化する一九世紀になると、急速に崩れることになる。オスマン帝国は、一八二九年にその支配下にあったギリシアの独立を認めた。また一八三〇年、やはり帝国が支配していたアルジェリアはフランスに占領された。こうして帝国が弱体化すると、ヨーロッパ列強の進出に影響されて、クリスチャンのナショナリズムが高揚することになる。このナショナリズムはロシアやオーストリアによって扇動されたものであった。これらヨーロッパ諸国は、オスマン帝国への影響力の増大を考えて、クリスチャンの分離独立運動に対して資金・武器を供与し、さらに精神的支援を与え、それを扇動していたのである。

こうしてクリスチャンとムスリムの民族的憎悪が意図的に煽られていったが、すでに二〇世紀初頭には、マケドニアで「民族浄化」のスローガンの下に数千人のムスリムやユダヤ人が虐殺されている。そしてクリスチャンのナショナリズムに対してオスマン帝国の側も暴力で応酬するようになった。帝国最後の五〇年間は、オスマン帝国の官憲とクリスチャンの暴力の応酬によって特徴づけられる。特に東ヨーロッパのバルカン半島は、キリスト教とイスラムの文化の「断層線」となり、両者の憎悪が高まり、根づいていった。これらのふたつの宗教は、民族のアイデンティティーの中心に置かれることになったのだ。

一九九二年に始まるボスニア紛争では、セルビア人など東方正教会のクリスチャンにはロシア、ギリシア、ブルガリアなどの諸国が支援を与え、またカトリックのクロアチア人にはオー

真新しい墓が並ぶムスリムの墓地。ボスニア・サラエボ

ストリアが、さらにムスリムにはトルコが後ろ盾になった。ボスニアではムスリム政党である「民主行動党」がユーゴスラビア崩壊の後に政権を担うようになったが、これに対してトルコや他のイスラム系諸国が支持を与えていった。

同様な構図はコソボ紛争においても見られた。一九九九年にNATO軍の空爆で話題になったコソボ問題とは、要するに、ユーゴスラビアのコソボという土地をめぐる東方正教会のセルビア人と、ムスリムのアルバニア人の競合だ。コソボでは一九九一年一〇月に、アルバニア系住民およそ九五万人による投票のうち九九％の賛成を得てコソボの独立が要求された。これに対して、ユーゴスラビアのミロシェビッチ政権は、コソボへのセルビア人の移住を促進したり、またコソボの行政機構からアルバニア人を排除して、セルビア人に置き

コソボから脱出するアルバニア系住民。1999年４月（ロイター・サン）

換えていった。さらに、警官や治安部隊によるアルバニア系住民に対する嫌がらせが相次ぐようになった。これに対してアルバニア側でも〔コソボ解放軍（ＫＬＡ）〕が組織され、セルビア人に対する武装闘争を展開し、コソボ紛争は泥沼化し、結局九九年春、アルバニア人を支援するＮＡＴＯ軍によるユーゴスラビア軍への空爆となった。

このように、冷戦後のバルカン紛争は、オスマン帝国末期の国際構造をそのまま引き継ぐもので、この時代の関係がそのまま現在のバルカンにおける紛争にも表われている。コソボからユーゴスラビア軍が撤退した後にロシア軍がいち早くコソボに進駐し、その空港を押さえたのは、同じ東方正教会の信仰をもつという同胞意識に基づく行為だった。他方、トルコのエジェビット首相は、コソボのムスリム系住民を無視しようとするセルビア人のもくろみを容認するわけにはいかないと訴えたが、ナショナリズムが相互の不信や紛争を呼び、外部勢力がさらに当事者のナショナリズムを煽っている。

中東イスラム世界では、オスマン帝国の解体過程において発生したナショナリズムや、またその解体後に生まれた国民国家の概念は、いわゆる民族問題をもたらし、人々の生命や生活を奪う悲劇となって現われた。

オスマン帝国時代に共存していた宗派・民族コミュニティーは、現在はトルコやイラクのクルド人たちに見られるように、国家に対する同化と支配民族による弾圧、さらにボスニアやコソボのように、相互の暴力にさらされるようになった。

イスラム国家の統治理念には、ムスリムと非ムスリムとの関係を政府に委ね、なお〔啓典の民〕と呼ばれるクリスチャンやユダヤ教徒とは共存するという宗教上の強い志向がある。

そのためには、強大な、よく組織されたイスラムの法を守る政府が非ムスリムの権利の擁護者とならねばならない。その意味でオスマン帝国は非ムスリムの擁護者としての資格を十分に備えた国家だった。

オスマン帝国は、民族問題についてひとつの教訓を残している。

それは、現在のように各民族がその特性に執着し、互いに排斥するのではなく、相互の存在を認め、その存在を受け入れることによって、各宗派や各民族の平和な共存が可能になるというものだ。オスマン帝国時代のイスラム的共存の在り方は、イスラム世界における民族紛争解決のための方法を提起するものであることは疑いがない。

第三章　成長する〈イスラム原理主義〉とは何か

街頭で選挙ポスターを貼る人。2000年2月、イラン・テヘラン

なぜ〔イスラム原理主義〕か

〔イスラム原理主義〕とはいったい何だろう。〔原理主義〕という言葉の響きからイスラムを厳格に解釈する考えだということは分かる。実際、この表現は極端なものを表わすことは確かだ。アメリカの初代ブッシュ政権時代、クウェール副大統領は、「今世紀（二〇世紀）、世界は全体主義、共産主義、イスラム原理主義という三つのイデオロギーによって脅かされた」と語った。

こうしたアメリカ政府の認識にも影響されて、日本でも〔イスラム原理主義〕は危険だという見方が強い。以前、自民党のある国会議員が、私に〔イスラム原理主義〕の勢力伸長は抑えられたほうがよいと語っていたが、これも共産主義の延長として〔イスラム原理主義〕を見る発想だろう。

アメリカの〔イスラム原理主義〕認識には、オサマ・ビン・ラディンなどテロを行う急進的な武装グループと、穏健な〔イスラム原理主義〕が区別できないために、〔イスラム原理主義〕はすべて悪いと決めつけてしまっているところがある。

そもそも〔原理主義〕という言葉自体に否定的な響きがあることは否めない。〔原理主義（fundamentalism）〕は、聖書を厳格にクリスチャンの生活に適用しようとした二〇世紀アメリカのプロテスタントの改革運動を形容する言葉として用いられた。主流のクリスチャンから見れば、この〔原理主義〕は、極端で、復古的、さらには停滞的なイメージしかなかった。また、従来、マスコミなどで用いられる〔原理主義〕という言葉は、テロを行う狂信主義を指している場合が多い。

現代の、政治・社会の中心にイスラムを据えるという運動は、従来忘れられていたイスラムの役割の復活を考えるという意味で「イスラム復興運動」とも呼ばれたりしているが、より直接的に運動の本質を表わすという点で「イスラム政治運動」という言葉も使われている。

この章では、否定的なニュアンスが余りないこの「イスラム政治運動」という表現を使用していきたい。

では、このイスラム政治運動は、何を背景に台頭するのだろう。イスラム世界の近代化や産業化は、欧米をモデルに追求されたが、その過程で途方もない貧富の格差が生まれた。これが、イスラムが本来説く平等主義の理想と相いれないものと判断されることになる。

また、産業化にともなって、地方の農村から都市への大量の移住が行われた。イスラムの伝統的価値観が根強い環境で育ったこれらの人々にとって、欧米をモデルに変貌を遂げた大都市での生活は、次第に窮屈に感じられるようになる。文化的に疎外感を覚え、また貧困の中での生活を余儀なくされるムスリムたちは、現代の政治・社会におけるイスラムの価値や意義を再び考えるようになる。これが「イスラム意識の覚醒」と呼ばれる状態だ。
さらに、イスラム意識の覚醒は、矛盾が多いと感じられる政治や社会の改善をイスラムに基づいて行おうとするイスラム政治運動に発展していく。イスラム世界では社会主義や資本主義が導入されたが、その社会・経済矛盾を救済するような手立てにならなかった。特に一九八〇年代には、世界銀行やＩＭＦ（国際通貨基金）の勧告によって、市場経済原理をとり入れたが、国営企業の民営化や通貨の切り下げなどの措置は、かえって失業やインフレを助長することになる。

国営企業を民営化すれば、人員を整理しなければならないし、通貨の切り下げは輸入品などの価格の高騰を招かざるをえない。そのため、イスラムの「社会主義」や「平等」の原理に基づいて世直しを考える運動が現われることになる。イスラム政治運動は、社会主義や資本主義に代わって政治や社会、さらに経済を改革する第三のイデオロギーとして考えられるようになっている。

経済の構造改革をとり入れた国々、特にトルコやアルジェリアでは失業やインフレが際立つようになり、イスラム政治運動の台頭を招くことになった。トルコでは福祉党が、またアルジェリアでは「イスラム救国戦線」という政党が九〇年代に第一党に躍進した。

イスラム世界の現実に目を投じると、政府や軍の高官たちに腐敗が見られたり、政治が民意

アルジェのカフェ。何もしないで一日ぶらぶらしている人が多い

を吸収するシステムになっていないため、このイスラム政治運動は、イスラムの伝統的な概念である〔協議〕や〔合意〕に基づく政治を唱えるようにもなる。欧米では、イスラム政治運動は、民主主義とは相いれないという考えや見方が根強いが、しかし現代のイスラム政治運動は、一様にイスラム世界の〔民主化〕を唱えるようになっている。

イスラム政治運動の支持層は、中間層や中下層階級の人々だ。経済的に豊かな人々は、イスラム政治運動の主張や活動に吸収されることはほとんどない。富裕層は、運動の平等主義の訴えに概して無頓着だ。イスラム政治運動を推進する人々は世代的には青年層が多い。その理由として、イスラム世界で若年層の人口増加がきわめて顕著になっていることがあげられる。ちょうど少子化が際立つようになった日本とは逆の現象が起きているわけだが、こうして増え続ける青年層に対して職を十分供給できなくなったのである。イスラム世界でも子弟教育のために、家庭は多くの経済的犠牲を強いられることになるが、大学など高等教育機関を卒業しても、望んでいた職業に就けなかったり、まったく就職できない場合が多い。そのため、社会的平等や公正を説くイスラム政治運動のイデオロギーに吸収されることになる。

また、イスラム政治運動を支持する青年層が卒業した大学の学部をみると、神学部というよりも法学や経済、工学など一般的な学部が多い。このことからもイスラム政治運動が雇用機会を得られない青年層の不満を吸収していることが分かる。イスラム世界を訪ねると、若者の数が特に多いという印象をもつが、若者が街で日中何もしないでぶらぶらしている姿は、失業問題が深刻になっていることを明らかに印象づけるものだ。

さらに、法律の面では、イスラム政治運動は一様にイスラム法であるシャリーアを法体系とするイスラム国家の樹立を訴える。コーランや預言者ムハンマドに関わる伝承（ハディース）を基に成立したイスラム法は、政治、社会、経済などあらゆる人間生活の分野に及び、それが人間社会を支配している限り、この世に正義や平等がもたらされるというのが、イスラム政治運動家たちの考えだ。

すなわち、人間はイスラム法に従って生きていけば、正義の道からはずれることはなく、現在あるムスリム社会の〔病弊〕を改善し、ムスリムが社会的・経済的な幸福や、宗教的満足感を得られるものとイスラム政治運動家たちは思っている。

特に、このイスラム政治運動家たちのイスラム法に関する認識は重要だ。イスラム世界では近代化の過程で、イスラム法に代わってヨーロッパ法が導入された。そしてヨーロッパの世俗的法律がもたらされた結果、イスラムによる政治や社会の倫理基準が希薄となり、イスラム世界の弱体化がもたらされたと彼らは考えている。つまりムスリムたちが生きていく指針を喪失し、イスラム世界はまさに〔背骨〕を失った状態になった。イスラム世界がその輝きを失ったのは、イスラム法を喪失するなどイスラムの真の信仰からの逸脱であり、また欧米の物質主義のイデオロギーや価値を模倣した結果なのだ。

イスラム政治運動家たちは、ムスリムが正しい信仰に立ち返るならば、彼らの社会は安寧や秩序をとり戻すことができると思っている。イスラム法はムスリムにとって包括的な規範であり、イスラム法を守って生きるということは、神の教えに従うことなのだ。イスラム政治運動にあるのは、イスラムという宗教に対する揺るぎない信頼や確信ともいえ、イスラムの倫理や価値に準じた生き方をすれば、ムスリムは精神的にも物質的にも満ち足りた生活が送れると考えるようになった。

イスラム政治運動の急進的形態であるイスラム武装集団もまた、イスラム国家の樹立を考える。しかし、そこに至る過程は暴力的手段をもいとわない。イスラム武装集団は、イスラム法に従わない政府を〈不敬虔〉と見なし、〈不敬虔〉な政府に対する〈ジハード（聖戦）〉を宗教的義務と考える。しかし、このような急進的なイスラム・グループの活動は、イスラム世界ではむしろ少数で、広範な支持を得ているとは決していえない。

穏健なイスラム政治運動は、漸進的な方法でイスラム社会や国家の創設を考える。その中には、エジプト、ヨルダンの〈ムスリム同胞団〉、パキスタンの〈イスラム協会〉、インドネシアの〈ナフダトゥール・ウラマー〉など、議会制民主主義を認め、国会に議員を送り込んだりしているものもある。インドネシアのナフダトゥール・ウラマーの党首であるワヒドは一九九九年一〇月に大統領に就任している。これらの組織は、学校や病院を経営するなど、社会事業を通じて社会への影響力を増そうとしているし、またイスラム銀行や投資会社、工場や農業の経営を行い、組織の経済基盤としている。

これに対して、イスラムの急進主義者たちは、政府がイスラム法を施行する意思がなく、またイスラムに不敬虔な政府が弾圧を行うのであれば、神の敵である政府やそれと結託する外国勢力に対する暴力の行使は正当であると考えている。

イスラム過激派の代表的な組織には、一九九七年一一月にエジプト・ルクソールで日本人を含む外国人観光客を殺害したエジプトの〈イスラム集団〉、一〇万人以上の犠牲者を出したアルジェリアの内戦をもたらしている〔武装イスラム集団（GIA：Groupe Islamique Armé)〕、九五年一一月に米軍関係者を殺害したとされるサウジアラビアの〔湾岸の虎たち〕などがある。

イスラム政治運動は、現代のムスリムたちが直面する困難な問題や矛盾に対応する形で成長している。イスラム政治運動が台頭し、なおかつ多くのムスリムたちの支持を得ているのは、それがさまざまな矛盾の解決や改善のために有効と考えられているからに違いない。欧米諸国の一部で喧伝されるように、〔イスラム原理主義〕が単に荒唐無稽で、物騒なものならば、人々の支持がそこに向かうはずはない。イスラム政治運動による政治や社会の改革の試みは、他に有効なイデオロギーや原理がないこととも相まって二一世紀にはますます活発になるだろう。

イスラム政治運動の発展過程

イスラム政治運動はどのような経過をへて発展してきたのだろうか。ヨーロッパ諸国の進出によって、イスラム世界が弱体化したと考えられた時、伝統的なイスラムを〔盾〕にヨーロッパ諸国に対抗することが考えられた。こうした考えはイスラムの近代では、オスマン帝国の末期にまず現われた。栄華を誇ったオスマン帝国が、ヨーロッパの進出によって衰退するという現実を見た一九世紀のイラン人思想家ジャマール・アッディーン・アル・アフガーニーは、ムスリムがイスラムに回帰することによって、イスラム世界が失った力や栄光をとり戻せると考えた。イスラムは、ムスリムに社会的絆を提供し、ムスリムが団結することによって、ヨーロッパ帝国主義に対抗できるというのが、アフガーニーの主張だった。

また、エジプトでもハサン・アル・バンナーによって、イスラム世界初のイスラム政治運動組織である〔ムスリム同胞団〕が一九二九年に創設されている。バンナーは、イギリス植民地支配下におけるエジプトで、貧富の格差が際立ち、多くの貧困層が生まれたという現実に対して、イスラムの〔喜捨〕を用いて彼らを救済すべきことを説いた。バンナーは、イスラムが人間の包括的なシステムであることを主張し、そのためコーランが憲法であるとも語っている。彼はまた、イギリス植民地支配によってイスラムに基づく伝統社会が侵蝕されていると考えた。

このように、イスラム世界ではヨーロッパからの後れをとり戻すために、伝統的な価値観であるイスラムに注目する動きが早くからあったが、しかし当初はヨーロッパの科学や技術、また文化を導入することが優先して考えられていた。それは、トルコの大統領ケマル・アタチュルクによる近代化や、それを模倣したイランのレザー・シャーの政策を見れば明らかだ。これらの国々では、女性のヒジャーブの着用は禁じられ、またヨーロッパの法律が導入されるとともに、西欧をモデルにした産業化が強力に推進されていった。

また、第二次世界大戦後になると、アラブ世界ではアラブ・ナショナリズムという世俗的なイデオロギーによって、欧米に追いつき、追い越すことが考えられた。特に、一九五六年のスエズ危機によって、ナセル大統領率いるエジプトが、イギリス、フランスという植民主義勢力のイスラム世界からの撤退をもたらすと、アラブ世界の統一によって、ヨーロッパ勢力、さらにはアメリカ、ソ連という当時世界を二分していた超大国をも凌駕できると考えられるようになる。こうした考えに応じて、一九五八年にはエジプトとシリアの統一（アラブ連邦成立）が行われた。

アラブ世界の統一をめざしたエジプトのナセル大統領(1918-70)（ＵＰＩ・サン）

しかし、一九六七年の第三次中東戦争によるアラブ諸国の無惨な敗北は、アラブ・ナショナリズムに対する信頼をいっきに喪失させることになった。アラブ諸国が束になりながら、イスラエル一国にわずか六日間であっさり敗北したことは、アラブ人たちに深刻な精神的ショックを与えることになった。やはりナショナリズムという西欧から借用した概念ではだめだ、という思いがムスリムの間では強まり、アラブ世界の救済を図るには、過去にイスラム世界の栄光や繁栄をもたらした「イスラム」という宗教に関心や注目が向かうことにならざるをえなかった。

しかし、イスラムを実際に政治や社会の原理としてとり入れたのは、ナショナリズムの破綻を見たアラブ世界ではなく、イランだった。

一九七九年のイラン革命に至る過程で、ホメイニの訴えが急速に人々の間で支持を得た背景には、イスラムの伝統的な概念に基づいて彼が王政を批判したことがある。国王モハンマド・レザー・パフラヴィー（在位一九四一～七九年）による近代化は、イランの政治・社会の徹底的な欧米化政策だった。国王は、アメリカ・ケネディー政権の圧力によって白色革命という近代化を断行する。ケネディー政権が国王に圧力をかけたのは、イランの社会的停滞がいずれ政治的動揺を招き、ソ連の共産主義の影響がイラン、ひいてはペルシア湾岸にまで及ぶことを恐れたためだ。

この白色革命によって、婦人に参政権が与えられたり、イスラムに対する宗教的寄進地であるワクフの管理が宗教界から政府の手に移ると、この改革に対する強烈な反発がイスラムの聖職者たちから起こった。一九六三年六月には、ホメイニの反国王演説に影響された暴動がテヘランなどでいっきに高揚した。

ホメイニによれば、イスラムでは婦人が政治に参加することは許されない。また、宗教的寄進地の管理を政府が行うことは、宗教活動への介入であり、従来宗教界がもっていた独立的な立場を奪うものだった。王政を痛烈に批判したホメイニは、イラクへ国外追放されることになったが、彼はそのイラクのシーア派の聖地ナジャフから国王を激しく非難し続けた。彼の演説は、カセットテープを通じてイラン国内にもたらされ、国王の政治に反発する人々の間で支持を集めていった。

さらに、一九七三年の第四次中東戦争、その結果もたらされた石油危機によって原油価格が四倍に引き上げられると、国民の間の階層分化がいっそう進むことになる。テヘラン北部には欧米流の贅沢な住宅が立ち並ぶ一方で、南部には地方から移住してきた人々のスラム街ができあがっていった。

第一次石油危機からイラン革命に至る期間は、イランでは国民の間の経済格差が顕著になった。高級車や高級オートバイで街をすっ飛ばす階層がいれば、人口稠密なテヘランの南部では、住宅にも不自由する人々がひしめき合い、経済的にも文化的にも強い疎外感をもたざるをえなかった。特に地方から移住してきた伝統的意識の強い人々は、国王の下で推進された欧米化政策に自らのアイデンティティーの危機を強く意識することになった。石油ブームによって、消費熱は高まり、多くの贅沢品がショッピング街に並ぶ一方で、インフレはまさにうなぎ登りとなり、貧困層をますます経済的な重圧の下に置いた。

テヘランを訪れると、革命後でも市の北部と南部の住民の生活水準や意識のギャップを強く感じざるをえない。日本人企業関係者などが住むテヘラン北部には、高級アパートが数多く立ち並んでいる。それらのアパートを訪ねると、居住空間は日本とは比較にならないほど広く、また部屋のつくりも豪華だ。

しかし、それに対してテヘラン南部の人々の生活ぶりは決して豊かとはいえない。南部では質素な家が立ち並び、女性たちも伝統的なヒジャーブを着用した人たちが多い。九〇年代前半に日本に大挙してやって来たイラン人もテヘラン南部の階層が多く、彼らは生活費を補うために日本で外貨を稼ごうとした。

王政は、秘密警察ＳＡＶＡＫを用いた弾圧政治を行い、反体制勢力の活動を封じていった。経済的な重圧下に置かれ、また政治に対する不満を口にすることができなかったため、イラン人の間では次第に王政そのものを打倒すべきだという考えが広まっていった。王政は国民の間で正当性をまったく喪失していた。イラン人の間では憎悪の対象であったＳＡＶＡＫは、一九五七年にＣＩＡ（米国中央情報局）の支援によって、秘密警察と諜報機関の機能を併せもつ組織として創設され、反国王勢力の弾圧に重要な役割を果たした。一九七六年の時点でＳＡＶＡＫは四万人のメンバーと五万人の情報提供者を抱えていたと見られている。ＳＡＶＡＫはアメリカのイラン人社会の中でも自由に活動でき、またＳＡＶＡＫがもち寄る証拠は軍事法廷で何

1979年２月帰国したホメイニ師を民衆は熱狂的に迎えた（ＵＰＩ・サン）

の疑義もはさまれずに採用された。七二年から七九年の革命まで、王政によって三〇〇人余りの反体制派のイラン人が処刑されたと推定されている。まさにＳＡＶＡＫは古代ペルシア帝国の〔王の目、王の耳〕のように機能した。

こうした抑圧政治のため、国民の間で王政に対する憎悪はいやがうえにも増大していった。王政を打倒しようとする運動の中には、左翼の運動があったり、自由主義の運動があったりしたが、イスラムの教義に訴えるホメイニの主張が、多くの大衆にとって、明快で一番分かりやすかったことは間違いない。ホメイニは、王政の中で経済的困難の下に置かれた〔被抑圧者〕の救済を唱えたし、また激しく王政打倒を口にしていた。

一九七八年一月、ホメイニを中傷・誹謗する記事が新聞に掲載されると、これに抗議するデモが宗教都市のコムで発生した。国王は軍・警察を使ってこのデモを鎮圧したが、その中で死傷者が出た。イスラムでは死者が出た場合、四〇日間にわたって喪に服するが、その四〇日後に死者を哀悼するデモが行われると、またそれに対して弾圧が行われた。死者に対する哀悼と、弾圧の中で犠牲者を出すことを繰り返すことによって、反王政運動は急速に宗教的性格をもっていった。

イランでは、大規模な王政打倒運動が繰り返されるようになり、国王は体制の維持を断念し、事態の沈静化を図って七九年一月一六日に国外に退去した。しかし、彼は決して帰国することはなかった。ホメイニは、一五年近くの国外追放生活を経て七九年二月一日にイランに帰国する。その後も国王派の軍隊と革命側の武装勢力の戦闘が続いたが、二月一一日に軍の将軍たちが中立を宣言、軍の指揮権を革命勢力に移譲することによって、革命は成立した。

革命後のイラン政治は、ホメイニの政治理論である「ヴェラーヤテ・ファギーフ（イスラムの法学者による統治）」によって支配されることになった。これは、前にも述べた通り、神隠れしたシーア派のイマームに代わって現世の聖職者が統治するというものだ。このファギーフであるイスラムの法学者は、すぐれたイスラムの学識を備えたものでなければならない。ホメイニは現代世界におけるイスラムの有用性を強く確信していた。ホメイニによれば、イスラムは、政治、社会、経済、法など人間生活のあらゆる領域に及び、さらに国家と国民の関係、外

イスラムの教義により、バスの入り口も男女別々。イラン・テヘラン

交問題をも規定する。確かにイスラムは他の宗教とは違って、実践性の強い宗教で、特にイスラム法であるシャリーアは、事細かに人間生活のあらゆる領域においてムスリムに規範を示している。

　ホメイニが指導したイラン革命によって、現代におけるイスラムと政治の一体化が現実のものとなった。このイラン革命はスンナ派、シーア派という宗派の違いを超えてイスラム世界に大きな影響を及ぼした。パレスチナの占領地では、イラン革命に心酔する「イスラムのジハード」という組織が創設され、またチュニジアでは現代におけるイスラムの役割が知識人たちによって議論され、やはり八〇年代のイスラム復興の端緒となった。さらに、サウジアラビアやバーレーンなどでは、社会的に抑圧されたシーア派系住民の暴動が発生した。また、レバノンでもイスラエルに対して執拗に抵抗を続ける〔ヒズボラ（神の党）〕が活動を開始し、イスラエルの安全保障にとって重大な脅威となった。このように、現代におけるイスラムの役割を強烈にアピールした点で、イラン革命の果たした役割には特筆すべきものがあった。

成長するイスラム政治運動

イスラムの宗教理念に基づいて現代の政治、社会、経済の矛盾を改善しようとするイスラム政治運動は、イスラム世界に解決が困難な問題が数多く横たわる現実から、当面人々の支持を集めて勢力伸長を続けていくことだろう。そして、このイスラム政治運動の台頭過程には、地域や国によってさまざまな様相がある。

①西欧化したチュニジアにおけるイスラム政治運動

北アフリカのチュニジアのイスラム政治運動は、この国の西欧化に対応する形で現われた。チュニジアではハビーブ・ブルギバ政権時代（一九五七〜八七年）に西欧化政策が強力に推進された。ブルギバにとっては西欧化こそが希望の星であり、イスラムはその足かせでしかなかった。伝統的なイスラム法はヨーロッパ法にとって代わられ、また宗教裁判所は廃止された。

地中海に臨むカルタゴ時代の遺跡。チュニジアは観光資源が豊富だ

ブルギバは、ラマダーン（断食月）にテレビに出演し、故意にオレンジ・ジュースを飲むような人物だった。

チュニジアを訪れると、街の至るところに警官が立っていることに気づくが、異様なほどの数の警官がいなければ、イスラム政治運動が一挙に台頭するだろうという見解に現地で接した。チュニジアは、第一章でも述べたように、イタリアのローマから飛行機で一時間余りで着くほど、地理的にヨーロッパに近接している。そのため、政府は政治や社会の西欧化を推進するとともに、ヨーロッパからの観光客の受け入れに積極的であり続けている。

チュニジアは、美しい海岸線、ベルベル人の住居、カルタゴやローマ時代の遺跡、また映画『スター・ウォーズ』のロケ地ともなった地下住居があるマトマタなど観光資源にはこと欠かない。チュニジアのリゾート地、ジェルバ島を訪ねた時、新しく建てられたリゾート・ホテルに宿泊した。冬一二月の訪問だったが、ドイツ人やイタリア人などヨーロッパからの観光客が多く滞在し、ホテルのプールで日光浴をしていた。その周辺には、さらに多くのリゾート・ホテルが建築中で、まさにチュニジアはホテルの建設ラッシュといった感があった。ヨーロッパの観光客たちにとっては、チュニジアの陽光はとても魅力があるらしい。

夏にチュニジアのスースという、ビーチがある海岸都市を訪れたが、そこでは欧米人の女性たちがトップレスで肌を焼いていた。それに対して、現地のチュニジア人の女性たちは、水着の上にさらにトレーナーを着たり、短パンをはいたりして肌を露出しないようにしていた。観光地などにおけるヨーロッパ人のふるまいは、敬虔なムスリムからは憤慨をもって見られたことは確かだ。

チュニジアの急進的なイスラム運動に特徴的なのは、エジプトやシリアなどのグループが政府の要人や行政府のビルなどをテロの対象とするのとは違って、文化的退廃のシンボルを攻撃することだ。ラマダーンに営業を行うレストランやパティセリー（菓子店）、さらに外国人観光客が宿泊するホテルなど。こうした急進派の活動は、やはりチュニジアが追求してきた西欧化政策と関連するものだ。特に、保守的な価値観をもち、チュニスなど大都市に移住してきた

開放的な雰囲気のチュニジアのチュニス。アベックも珍しくない

地方出身の階層は、ヨーロッパをモデルにした社会での生活に強い疎外感やアイデンティティー・クライシスをおぼえるようになった。

北アフリカのチュニジアでは、褐色の肌をした若者たちが、アベックで街を歩く姿をよく目にする。その様子は、未婚の男女のデートが禁じられているイランや、社会のイスラム性が強いイエメンなどアラビア半島の国とも異なる。女性のヒジャーブ姿を見かけることもほとんどない。しかし、イスラムに根づく人々の伝統意識は、容易に消失しそうにない。この国の政府が推進する西欧化と、国民の大多数がもつイスラム意識のギャップがチュニジアでイスラム政治運動が成長する背景となり、それを支持するのは強い文化的疎外感をもつ人々だ。

②北アフリカの観光立国モロッコにおけるイスラム復興

モロッコといえば何を思い浮かべるだろう。ハンフリー・ボガートとイングリッド・バーグマンの映画『カサブランカ』を連想する人がいるかもしれない。日本のポップスの中にも『カサブランカ・ダンディー』『哀愁のカサブランカ』『マラケシュ』などモロッコの地名に関連したヒット曲があり、これらの曲の中にあるエキゾチックな印象とともに、北アフリカの国の中でも最も身近に感じている人もいるだろう。

実際、モロッコはシリアやレバノンなど東アラブの国とは趣《おもむき》を異にしている。チュニジア人と同様に褐色の肌をして、ジュラバやカフタンと呼ばれる伝統的な形のマントを着用した人が多い。このジュラバやカフタンにもさまざまな色があったり、刺しゅうがほどこされているものもある。また、アトラス山脈の北と南では、風景もがらりと違う。北部では農耕地が多く見られるが、南は乾燥した砂漠の景色だ。南部では赤土色の壁をもった家が多く、城のような形状をした住宅が集まっているところから、その幹線道路は〈カスバ（城塞）街道〉とも呼ばれている。

モロッコの都市、フェスやマラケシュは、日本でいえば京都や奈良のような古都だ。フェスは古い家並みが階段状に連なり、迷路のような街路の中には商店、機織りの家や皮革の伝統的な染色場などがある。さながら商業と工芸の一大センターだ。この染色場では、風呂桶のような大きな壺にさまざまな色の染料が入っており、そこに皮革を沈めて着色する。また、マラケシュにはフナ広場という大きな広場が市の中心にあり、そこでは猿回し、コブラ遣い、アクロバット体操などの大道芸が見られるようになっている。マラケシュもまた赤土色の家屋が立ち並ぶ街だ。

モロッコ国王は預言者の正統な子孫である人物とされている。つまりこの国もイスラムに政治の正当性を求めている。国王は、「信者の統率者（アミール・アルムーミニーン）」の尊称で呼ばれ、立憲君主制の政体をとっている。政府は国王の任命による内閣になっている。このため、政治の意思決定は、国王の判断にゆだねられることになる。あまり民主的な体制とはいえないことは確かだ。国王の政治責任が議会によって問われる仕組みが存在せず、国王は軍隊、警察、国家財政などを私的な財産と見なし、私的な政治意思決定を行う。

モロッコ・マラケシュの猿回しの青年

この国でも、若年人口の比率が著しく高い。一六歳以下の人口が全人口の四五％にも達し、しかもそれが都市人口の急増と失業問題に関係している。農村では職がなく、都市に出る（年間二〇万人以上）、しかし都市に出たが、やはり職がないという悪循環を繰り返している。

一九九四年にモロッコを訪れ、政府関係者に八〇年代中期からとり入れた経済の構造改革について尋ねたことがある。政府関係者たちは、構造改革は順調に進んでいると答えていたが、モロッコの都市部での失業は深刻だ。モロッコは人口増加が北アフリカでも最も著しく、カサブランカでは労働人口の二五％が失業中と推定されている。失業問題がますます深刻になるのは明らかだ。

モロッコでは地方の公共基盤整備が遅れており、たとえば農村部では電気や水道の普及率はわずか一四％。これもまた地方から都市部への人口流入をもたらす要因になっているが、カサブランカやラバトなどの大都市周辺にはスラム街が形成され、貧富の格差は拡大する一方だ。

モロッコでも、政治的・社会的改革の主体としてやはりイスラム政治運動は無視できないだろう。一九七〇年初頭から組織的な活動を開始し、大学や高校の教師、学生を主要な担い手としている。〔正義と慈愛（Adl wal-Ihsan）〕などの組織が活動を行うようになったが、九〇年五月にはその指導者であるアブデルサラーム・ヤースィン師支持の大規模なデモが展開されていた。しかし、王政はイスラム政治運動の存在自体も認めてこなかった。実際、モロッコではイスラム政治運動が表立つことはまれで、王政の側でもそのような運動は存在しないことをしきりに訴えてきた。

しかし、二〇〇〇年三月になると、イスラム政治運動が明白に目に見える形で現われてきた。これは、政府による世俗化政策に対抗するものだ。カサブランカでは、数万人のイスラム主義に傾倒する人々が、政府の〔国民行動計画〕に反対を唱えてデモを行っている。

この〔国民行動計画〕は、国会における女性議員の比率を現行の一％から三三％に増加させ、また女性の婚姻年齢を一四歳から一八歳に引き上げ、男性の保護者のみの同意によって決定される婚姻を廃止し、男性からの申し立てによって決定される離婚を裁判所の判断にゆだね、さらに一夫多妻を廃止するというものだ。すなわち脱イスラム化がこの〔国民行動計画〕の基本的性格となっている。

この民法の改正案に対してイスラ

古い家並みが残るモロッコ・フェスの旧市街

ム主義者たちが反対を唱えたのだが、モロッコの一部のマスコミでは「モロッコは、明日はイスラム国家か」という見出しまで現われるようになった。それほどイスラム主義者の反発は強烈だった。カサブランカのデモには、イスラムの聖職者たちまでも参加するようになったが、イスラム勢力には王政に敵対する意図は余り見られない。

しかし、モロッコでイスラム主義者たちが、急速に自らの主張を訴えるようになったのは、一九九九年にハッサン国王が亡くなり、若い三〇代半ばの国王が即位したことにもよる。

新国王のムハンマド六世は、ベルギーで学び、博士論文はモロッコの対ヨーロッパ関係というものだった。また、フランスを最初の公式訪問国としているところからも、彼がヨーロッパに傾倒していることは明らかだ。若い国王は、モロッコのイスラムの統率者としての立場を明らかにしているものの、女性の権利の拡大も口にするなど、モロッコのイスラム主義者たちの懸念を呼んでいる。

〔正義と慈愛〕の指導者であるヤースィン師は、ムハンマド六世に父のハッサン二世から相続した遺産、四〇〇億ドルを国家の負債を減じるために拠出することを訴えた。ヤースィン師が率いる〔正義と慈愛〕はモロッコでは最も人気があるイスラム政治運動組織だ。ヤースィン師は彼自身が〔ボート・ピープル（難民）世代〕と呼ぶ困窮する人々に対して読み書きを教えたり、基本的な社会事業を与え、多くの人々の支持を得ることに成功している。この〔正義と慈愛」は、その活動が禁止されてはいるが、傘下に多くの組織を抱え、これらの下部組織を通じて活動を継続させている。モロッコは、国王が預言者ムハンマドの直系の子孫であることを名乗っているものの、ここでも堆積する社会・経済問題や国民の文化的疎外感などを背景にイスラム政治運動が台頭していくことは間違いない。

教育や福祉を重視して成長

これまで見てきたように、イスラム政治運動の成長の背景には、イスラム世界など発展途上地域の深刻な社会・経済問題が横たわっている。それだけでなく、イスラム世界での近代化が進むにつれて、信仰としての「イスラム」が希薄になったことが多くのムスリムによって意識されていることは確かだろう。

イスラム世界では、一九八〇年代以降、政府は教育や社会福祉にあまり熱心でなくなる。これは、中東イスラム諸国における経済の構造改革の開始と時期を同じくするものだった。世界銀行やＩＭＦなど国際的援助機関が政府補助金を削減するよう勧告したことによって、教育や福祉事業から政府が次第に後退し、代わってイスラム組織による草の根レベルの運動がそれらの事業に着手していった。さらに、イスラム諸国政府は、財政支出削減のため、食料、衣服、医薬品などへの補助金をカットしたが、この措置もまた貧困層をいっそうの生活苦のもとに置くものだった。そのうえ、構造改革によって公務員の数が削減されたことは、大学など高等教育機関の卒業生たちの就職機会を奪い、これらの貧困層や失業した青年層が〔イスラム政治運動〕を支持していくことになった。

たとえば、エジプトでは、暴力をも用いる急進的なグループを含めてイスラム組織が人々に援助の手をさし伸べ、教育・福祉事業を通じて次第にエジプト社会に根を張っていく。イスラム組織が運営するコーランを学習するサークルは、貧困層の衣食住の確保を支援するようになった。また、大学で活動するイスラム組織は、学生たちに無料でテキストを配付したり、また個人的な勉学の指導を行い、さらに学生のための住まいを斡旋したりしている。

エジプトのイスラム組織は、コーランの学習を行うと同時に、小規模な医療クリニックや保育園、また初等学校、職業訓練所を経営し、貧困層に社会サービスを施すようにもなったが、その運営資金にはイスラムの救貧税である〔喜捨〕が用いられた。

慈善事業を行うイスラム組織は、その規模や性格に多様性があるが、主に都市周辺のスラム街、また地方の農村で活動を行っている。職業訓練では大工や左官、裁縫などの技術が教えられ、イスラム組織経営の医療クリニックでは、通常の一〇分の一余りという安い診察料でサービスが提供されている。

トルコでは、八〇年代以降、イスラムの復興が目立つようになったが、ナクシュバンディ教団などイスラム神秘主義教団は、八〇年代に経済分野に進出するようになり、企業、銀行、投資会社、保険会社、チェーン・ストアなどを経営するようになった。イスラム神秘主義は、神と人間の合一を瞑想や断食、さらには歌やダンスを通じて達成することを考えるものだ。その教義は、指導者以外には知るものがなく、さながら仏教の密教のようなものだ。

トルコのイスラム神秘主義教団は、その経済活動で得た資金を、学校や大学の建設、寄宿舎の経営、教科書の無料配付、奨学金の付与、個人的な教育指導への支援などに投じていった。神秘主義教団が教育活動に力点を置いたことは、とりわけ青年層への浸透に役立つことになり、その求心力をさらに高めることになる。

一九九七年に中央アジアのトルクメニスタンを訪れた時、ミナレット（尖塔）をもつモスクが建設されていた。円錐形のミナレットはトルコ様式だが、こうした旧ソ連におけるモスクの建立もイスラム神秘主義教団によって行われている。

トルコのフェトゥフッラー・ギュレン（一九三八年生まれ）率いるイスラム神秘主義教団のグループは、三〇〇以上の学校と七つの大学をトルコと国外に設立した。ギュレン・グループは教育活動を通じて、独自のイスラムの教義を広めようとしている。トルコ民族主義の考えにも基づいて、ギュレンの経営する学校は、国外では圧倒的に中央アジアやコーカサスのトルコ系諸国に多い。

トルコ様式のミナレットが美しいブルー・モスク。イスタンブール

また、これらの教育は、イスラムの伝統的価値観に共鳴する保守的な経済界からも支援を受けるようになった。トルコの企業は、モスク建立という建設事業を受注し、モスクを足がかりに中央アジア諸国に経済的に進出する。また同様にモスクを拠点にギュレン・グループがそのイスラムのイデオロギーを浸透させていく。このように、イスラム神秘主義を通じてトルコは、経済活動と宗教が一体となった影響力を旧ソ連の中央アジアやコーカサスに及ぼすようになった。

これらの〔原理主義〕やイスラム神秘主義の教育・福祉活動に見られるように、イスラムには、その信仰を広めたり、社会的公正を確立するメカニズムが本来備わっている。イスラムが教育や福祉によって、人々の間で根強い支持を得る仕組みがイスラムの伝統的概念である〔ダワ〕の考えだ。〔ダワ〕とは、コーラン一四章三六節の中で書かれている、イスラムに真の宗教を見いだすようにという神からの人間社会への〔呼びかけ〕を意味する言葉だ。

すなわち、ダワの中心にあるのは、イスラムの布教・教育活動だが、現代においてダワは、イスラムのイデオロギーやその信仰の保持、さらには宗教自体の拡大において重要な役割を担うようになった。ダワの活動で重要なのは、医療サービス、貧困層に対する給食活動、また家賃を補助するなどの、政府のサービスが満足にいき渡らない社会福祉事業や、教育活動である。

ダワは、〔神の呼びかけ〕に応えて人間生活における正義を確立しなければならないという考え（コーラン一六章九二節）に基づいている。ダワの考えでは、イスラムとは人間の生活すべてを包括する道しるべなのだから、ムスリムが社会的不正義や経済的不平等をとり除くことができないとしたら、ムスリムは神に対する責任を放棄したことになる。このダワの概念こそが、現在、イスラム政治運動が人々に教育や福祉事業を提供し、影響力を拡大させる重要な背景になっている。

ヨーロッパ諸国のイスラム世界への進出以来、イスラム世界の物質主義、世俗的近代化、また信仰の希薄化は、イスラム世界の弱体化をもたらすものと考えられた。イスラムの宗教教育の普及や発展は、欧米キリスト教世界との競合を意識した結果追求されたものだし、また社会福祉事業はムスリムの生活を向上させることによって、イスラム世界の安定や強化を図る上で必要と見なされた。このように、現代のイスラム政治運動は、教育や福祉に重要性を認め、それを活動の中心に据えながら台頭し、成長を続けていることは確かだ。

これまで見てきたようなメカニズムを通じて、イスラム政治運動は、少なくとも二一世紀の初めの一〇年間、中東・北アフリカなどで著しい傾向として現われていくことであろう。それは、政治・社会の変革を求め、許容される場合には選挙など合法的な手段を通じて政治に参加していくだろう。一九九九年のインドネシアで、イスラム組織の党首ワヒドが大統領に就任したように、特に民主化が進んだ国においては実際に政治を担う重要な勢力となっていくに違いない。

第四章　パレスチナ問題
――イスラムと異教徒との最大の紛争

パレスチナ難民キャンプの少年たち。1992年、ヨルダン

イスラムにとってのエルサレムの意義

〔解のない方程式〕とも形容されるパレスチナ問題は、アラブとユダヤの果てしない闘争ともいわれるが、これはイスラムの大義にも関わる問題だ。というのも、イスラエルが一九六七年の第三次中東戦争以降、イスラムの聖地であるエルサレム旧市街を占領しているからだ。エルサレムをイスラエルが占領していることが、イスラエルや、その後ろ盾であるアメリカに対するジハードを唱える急進的なイスラム・グループの主張を強めることになっている。

エルサレムがイスラムの聖地なのは、すでに述べたように、ムハンマドが大天使ガブリエルに導かれてエルサレムから昇天したと考えられているからだが、他方、ユダヤ教徒であるユダヤ人にとっても、古代ユダヤ教の神殿があった場所であり、首都でもあった。実際、イスラエルは、一九八〇年にエルサレムを首都と宣言している。さらに、クリスチャンにとってもキリストが磔《はりつけ》の刑に遭い、埋葬された場所に建てられた〔聖墳墓《せいふんぼ》教会〕がある聖地なのだ。

パレスチナ問題は、一九九三年にイスラエルのラビン首相とPLO（パレスチナ解放機構）のアラファト議長の間で〔暫定自治に関する原則宣言〕が調印されると、皮肉なことにかえって宗教的要素が強まっている。パレスチナのアラブ人の間では、イスラム勢力である〔ハマス〕が支持を集めるようになり、またユダヤ人の間でもパレスチナ全域がイスラエルの領土といって譲らない宗教右翼の台頭が見られるようになった。

エルサレム旧市街は、ムスリム、ユダヤ、クリスチャン、アルメニア（アルメニア人は第一章でも述べた通りクリスチャン）という四つの地区に分かれ、その周囲を城壁によって囲まれている。ムスリム地区には、〔ダマスカス門〕という門があるが、このダマスカス門から旧市街に入ると、アラブ人の商店が連なっている。そこからしばらく歩くと、左手にイスラムの聖地である〔ハラム・アッシャリーフ（高貴な聖域　神殿の丘）〕があり、この敷地内にムハンマドが昇天したとされる岩のドーム、また七世紀に建立されたアル・アクサー・モスクなどがある。岩のドームの屋根は金箔で被われていて、遠くから旧市街を眺めてもきらきら光って美しく、エルサレムの象徴的な建物だ。特に夕暮れ時のエルサレム旧市街は趣がある。また、岩のドームの内部も、金箔や銀箔によって

エルサレム旧市街

岩のドームと嘆きの壁。イスラムとユダヤ教の聖地は、まさに隣り合っている

装飾され、繊細で壮麗な彫刻が天井や壁に施されている。

この岩のドームがある「ハラム・アッシャリーフ」とユダヤ人の聖地である「嘆きの壁」はまさに隣り合わせだ。「ハラム・アッシャリーフ」は古代ユダヤ王国の宮殿があった場所で、その礎石となっていたのが、現在ユダヤ人たちが礼拝を行う「嘆きの壁」だ。それゆえ、岩のドームの敷地からは下の「嘆きの壁」を見下ろすことができる。実際はイスラエルの治安上の理由からそのようなことはできないが、イスラムとユダヤ教の聖地はまさに隣り同士であり、そのふたつの宗教を信仰する人々が対立しているのは極めて不思議な感じがする。

クリスチャンたちは、キリストが処刑されたゴルゴダの丘に建てられた聖墳墓教会に巡礼にやってくる。毎週金曜日になると、フランシスコ会の修道士によって、キリストが死刑判決を受けた場所から実際に処刑されたゴルゴダの丘まで行進を行う。この道を〔ビア・ドロローサ（悲しみの道）〕というが、道にはキリストが処刑されるまでの逸話に基づいて、キリストが死刑判決を受けた場所、十字架に架けられた場所、母マリアに会ったところ、さらにキリストの弟子のシモンがキリストに代わって十字架を背負った場所など一四の留《ステーション》がある。キリスト教の巡礼者たちは、行進しながらそれぞれの留に立ち止まりお祈りをする。

現在、クリスチャン地区は次第に人口が減少している。それは、一九六七年以来のユダヤ支配を嫌ってクリスチャンのアラブ人たちが海外などに移住していったためだ。パレスチナ人は、商魂たくましく、アラブ人の中では比較的裕福な暮らしをしている人が多い。そのため、アラブ世界の中でパレスチナ人はともすれば疎《うと》んじられる傾向にあることも確かだ。

エルサレム旧市街を訪れるたびに現われるパレスチナ人のクリスチャンの青年がいる。彼からすれば、私はいい商売相手と思われるのかもしれないが、旧市街で会うたびに彼の店に連れていかれ、あれを買え、これを買えといわれて少々辟易することがある。その彼の一家も弟をカナダの大学に留学させていると語っていた。店がまえからすれば、さほど大きくないのだが、子弟を北米に留学させるほどの経済的余裕がある商才には驚かされてしまう。

エルサレムでもかつては、ムスリムと、イスラエル国家をつくることになるユダヤ人は共存していた。ユダヤ人は、十字軍のキリスト教支配の時代よりもはるかに多くの宗教上の自由をムスリム支配の下で享受していた。エルサレムは、第二代カリフのウマルによって征服され、イスラム化する。このウマルは、六三八年にエルサレムに入城した際に教会などの建物を壊さなかったといわれている。それは、ウマルがエルサレムを〔聖なる都〕と意識していたからだともされている。

実際、預言者ムハンマドには、エルサレムの方角に礼拝を捧げていた時期があったといわれる。まず〔ハラム・アッシャリーフ〕の南端にアル・アクサー・モスクが建立され、さらに六九二年に岩のドームが完成された。この後、エルサレムはウマイヤ朝、アッバース朝、ファーティマ朝などイスラム王朝によって支配されたが、これらの王朝はクリスチャンやユダヤ教徒の巡礼者に寛大だったため、世界各地から多くの巡礼者が集まるようになった。

しかし、一〇九九年にエルサレムは十字軍によって占領され、エルサレム王国が建設された。この十字軍の占領は、ムスリムやユダヤ教徒に対する大規模な殺戮を伴うものだった。また、イスラムの聖地である岩のドームはキリスト教会に改修され、さらにアル・アクサー・モスクは、十字軍の騎士団の宿泊施設となった。このように、クリスチャンによるエルサレム支配は異教徒の宗教活動を認めるものではなかった。

このエルサレム王国も一一八七年にムスリムのサラディンによって占領され、崩壊する。十字軍を打ち破ったことによって、サラディンは現在でもイスラム世界で英雄として崇められて

エルサレム旧市街。嘆きの壁の前の正統派ユダヤ教徒たち

いる。サラディンはクルド人で、イラクのサダム・フセイン大統領と同じティクリートという町の出身だ。サラディンは、エルサレム入城に際し、十字軍とは違って虐殺や破壊などの蛮行は行わなかった。一一九二年に、サラディンは第三次十字軍を率いてパレスチナにやってきたリチャード獅子心王と条約を結び、ヨーロッパからのクリスチャンの巡礼の自由を保証した。また、サラディン統治下のエルサレムではユダヤ人のコミュニティーも復活する。

サラディンの支配によって、エルサレムでは、各宗教コミュニティーの住み分けが次第に明確になり、共存のシステムができあがっていった。エルサレムは、一二二九年から一二四四年までの一時期、第五次十字軍によって支配されたが、その後一九一七年にイギリス軍がオスマン帝国軍を破るまでの間、マムルーク朝とオスマン帝国というイスラム王朝の支配下にあった。マムルーク朝の下で、「ハラム・アッシャリーフ」にスンナ派の神学校や修道院ができた。

またオスマン帝国も、エルサレムの支援には熱心で、オスマン帝国のスレイマン一世の時代に現在でも残る旧市街を取り囲む城壁ができあがった。

このように、ムスリム支配下のエルサレムでは各宗教の共存システムができていたのである。このシステムが崩れるのは、オスマン帝国の衰退と、近代以降のナショナリズムの勃興を契機としている。

オスマン帝国の衰退に伴って、ヨーロッパ諸国は、エルサレムに対する影響力の拡大を競うようになっていた。一九世紀になると、ヨーロッパ諸国から領事、キリスト教の伝道者、また考古学者たちが国策として大挙して押し寄せるようになった。また、オスマン帝国が衰退するとともに、エルサレムは経済的にも貧しい都市になっていったが、そこで暮らすクリスチャンやユダヤ人は、ヨーロッパ諸国やヨーロッパのユダヤ人の経済的支援に依存するようにもなっていった。

ユダヤ人のナショナリズムとホロコースト

ヨーロッパで、ナショナリズムが台頭すると、キリスト教に基づくヨーロッパの国家や国民体系から排除されたのはユダヤ人たちだった。ユダヤ人たちは、ヨーロッパ社会においては、職業や居住地は限定され、〔ゲットー〕という居住区に押し込められての生活を余儀なくされるなど、さまざまな差別を受けていた。

こうしたユダヤ人に対する差別は、彼らがクリスチャンとは異なる生活様式をもっていたこと、さらに〔イエスを殺そうと企てたユダヤ人〕の表現が「ヨハネによる福音書」に記載されていることなどを背景にしていた。ユダヤ人に対する差別は、特別な格好をした帽子をかぶらされたり、またユダヤの星などのバッジをつけることが求められていたことにも現われている。

そのため、ユダヤ人のほうでも自らの国家をもとうとする考えが生まれる。これがシオニズム思想だ。シオニズムとは、エルサレムの別称である〔シオンの丘〕にユダヤ人の国家を建設しようとする思想や運動のことをいう。

この思想の創始者は、ハンガリーのブダペスト生まれのジャーナリストだったテオドール・ヘルツルだった。ユダヤ人に対する徹底的な差別を表わすことになった一八九四年のドレフュス事件を取材することによって、ヘルツルはユダヤ人たちも自分たちの国が必要という考えに至る。ユダヤ人はドイツやフランスなどヨーロッパ諸国に同化しようとも試みたが、この同化はうまくいかなかった。さらにロシアではポグロムというユダヤ人に対する暴力的な襲撃事件が頻発するようになっていた。ミュージカル『屋根の上のバイオリン弾き』はロシアのユダヤ人の伝統的なしきたりがひとつの家族の中で次第に崩れていく様子をストーリーにしたものだが、そのミュージカルの最後にもロシア人によるポグロムが描かれていた。そしてユダヤ人最後の選択肢としてシオニズムの考えが生まれたのだ。

シオニズムの思想、すなわちパレスチナにユダヤ人国家を建設するという考えは、一八九七年の第一回シオニスト会議の結果成立したバーゼル綱領によって採択されたが、このシオニズムの考えによって、ユダヤ人たちがパレスチナに移住していった。しかし、当初ユダヤ人の移住もパレスチナ人との軋轢《あつれき》や対立を招くものではなかった。その転換点となったのは、第一次世界大戦中に明らかにされた「バルフォア宣言」だ。このバルフォア宣言は、イギリスの戦争努力に対するユダヤ社会の支援を期待して、イギリスの外務大臣だったアーサー・バルフォアが一九一七年一一月二日に出したものだったが、これはイギリス政府がパレスチナにユダヤ人国家の創設を約束するものだった。

このバルフォア宣言は、イギリスがフランスとともに、サイクス・ピコ協定でパレスチナに対する委任統治を開始したこととも相まって、パレスチナ人をひどく怒らせた。イギリスは、第一章で述べたフセイン・マクマホン書簡によって、パレスチナを含むオスマン帝国のアラブ地域に独立アラブ国家を約束していたにもかかわらず、同じ地域に互いに矛盾する三つの約束をした。こうしたイギリスの姿勢がパレスチナ問題を生む最大の要因となった。一八八一年にはパレスチナのユダヤ人人口は二万四〇〇〇人で、全人口の五％未満だったのが、一九一四年には八万五〇〇〇人となり、全人口の一二％を構成するに至る。

さらに、このユダヤ人のパレスチナへの移住に拍車をかけたのは、一九三三年のドイツにおけるナチス政権の成立だった。ナチスによるユダヤ人への弾圧によって、一九二一年から四五年まで三六万八八四五人のユダヤ人がパレスチナに流入していった。

ヒトラーは、シオニズムをユダヤ人がドイツからいなくなる手段として好都合と考えていた。一九三三年から三七年の間、パレスチナはナチスによるユダヤ人移住政策にとって、好ましい目的地だった。ヨーロッパにユダヤ人が存在しない状態、すなわち〔人種的健全〕を追求するヒトラーにとってドイツ国内からのユダヤ人の流出は願ってもない現象であった。ヒトラーは、ドイツのヘゲモニー（政治的指導権）の必然を信じ、また白人ヨーロッパ社会が世界をいずれ支配していくことを信じていた。

一九三八年一月、ヒトラーはドイツからの迅速で、大量のユダヤ人の放出を改めて強調し、その移住先として明確にパレスチナに言及するようになる。彼は、ユダヤ人の影響や存在が完全にない〔ドイツ国家〕こそ〔ヨーロッパ生活圏〕に向けての闘争の前提条件になると考えた。しかし、一九三八年初頭においてユダヤ人のドイツ経済における活動には根強い影響があり、またこの年まででも一九三三年のユダヤ人人口の半分もドイツから流出させることができなかった。その結果、一九三八年から三九年にかけて、ドイツ国内のユダヤ人の財産没収、移住の強制措置が〔ＳＳ（親衛隊）〕などによってとられた。

第二次世界大戦が勃発すると、ドイツの〔生活圏〕が東欧に拡大され、数百万のユダヤ人をその内部に含むことになる。面積の狭いパレスチナはユダヤ人の移住先としてふさわしくないという考えがドイツ政府内部で強まり、マダガスカルが可能性のある移住先として考えられた。しかし、この考えは輸送の問題などで結局実現されずに、一九四二年一月二〇日の〔ヴァンゼー会議〕でヨーロッパ全域に及ぶユダヤ人一一〇〇万人を対象に、東方（ポーランド）への移送、強制収容所での苛酷な労働、殺害など具体的な措置が論ぜられ、それがホロコースト（大虐殺）に至ったのだ。

ナチスのユダヤ人狩りが執拗だったことは、『アンネの日記』の作者、アンネ・フランクの一家が暮らしていたアムステルダムの隠れ家を訪ねれば分かる。この隠れ家の入り口は、スライドする本棚で隠されていた。そこから急な階段を上ると、フランク一家が住んでいた住まいがある。自由に外出することは許されず、多感なユダヤ人の少女は小窓からアムステルダムの西教会を見て暮らさなければならなかった。狭い隠れ家の中で、想像するだけでも窒息しそうな生活空間だ。アンネ・フランクの部屋の壁には当時の映画スターのブロマイドが貼られ、これらを見ることが少女にとっては数少ない心の慰めだったに違いない。結局、アンネ・フランクの一族は、何者かの密告電話によって摘発を受け、アンネは強制収容所で帰らぬ人になった。

イスラエルの成立とパレスチナ難民の発生

第二次世界大戦終結後、ナチス・ドイツによるユダヤ人大虐殺の実態が明らかになるにつれて欧米諸国でユダヤ人への同情が急速に強まり、これがイスラエル国家成立の重要な背景になった。ホロコーストでは、六〇〇万人のユダヤ人が犠牲となったといわれている。それほど、ナチスのユダヤ人弾圧は執拗で、残酷なものだった。このホロコーストの実態は、エルサレムにあるホロコースト博物館や、九三年にアメリカのワシントンにオープンしたホロコースト博物館を訪れればその一端をうかがい知ることができる。エルサレムの博物館は写真展示だが、ワシントンのものはオーディオビジュアル展示で、ナチスの抑圧がいかに非人道的なものだったか手にとるように分かる。

ワシントンのホロコースト博物館には、〔世界の三流民族〕というナチスの人種宣伝のポスターも展示されている。その中には、ユダヤ人やアフリカのニグロイドと並んで、私たち日本人も含まれている。ヒトラーはその著書『わが闘争』の中で、日本人は物まねに長じてはいるが、独創力に乏しい民族と説いている。そのようなヒトラーの歪んだ人種観がナチスのポスターの中に表わされているのだろう。日本人にとっては屈辱的なポスターだが、戦前の日本の軍部がどれほどヒトラーの人種観を意識しただろうか。

このワシントンのホロコースト博物館は、アメリカの議会とリンカーン・メモリアルを結ぶ芝生の巨大な広場（モール）の中間部分に隣接するようにある。いわばアメリカの象徴ともいえる場所に位置している。一九九五年にこのホロコースト博物館を訪ねたが、その建てられた場所からもアメリカにおけるユダヤ社会の力量を垣間見る思いだった。

アメリカの中東政策に対するユダヤ社会の介入に怒るワシントンの中東研究者は、「ホロコーストはユダヤ人だけに特別な現象だったわけではない。それは、人類の歴史において繰り返されてきた。アメリカの先住民であるインディアンに対するホロコーストだってあったし、また日本の広島や長崎だってホロコーストだ」と語っていた。特に、九五年は、スミソニアンの航空宇宙博物館で、広島の原爆投下の写真展が行われるはずだったが、アメリカ国内の強い反発にあって実現できなかった。スミソニアンの博物館の展示は、原爆を投下したB29のエノラゲイ機を見せたり、その搭乗員を英雄視する写真ばかりだった。新設されたホロコースト博物館と、広島の原爆展の中止は、一日本人からすればいたたまれない思いだった。

話をパレスチナにもどせば、パレスチナにユダヤ人の国家をつくろうとするシオニズムの思想は、一九四七年一一月の国連総会決議一八一号によって、パレスチナをユダヤ人国家、アラブ人国家に分割することが決められると、国際社会の一応の認知を得ることになった。イギリスは、第二次世界大戦と植民地インドの独立などで政治・経済的に疲弊し、パレスチナを維持する力をすでに失っていた。しかし、この決議は、ユダヤ人のほうがパレスチナでは人口が少なかったにもかかわらず、ユダヤ人により多くの土地を与えるものだったし、またホロコーストの悲劇はヨーロッパ社会で起きたにもかかわらず、イスラエル国家は、ホロコーストとは何の関わりもないアラブ人の犠牲の上にヨーロッパ社会の罪を贖《あがな》う意図の下に認められたものだった。

国連パレスチナ分割決議（1947年）による分割案

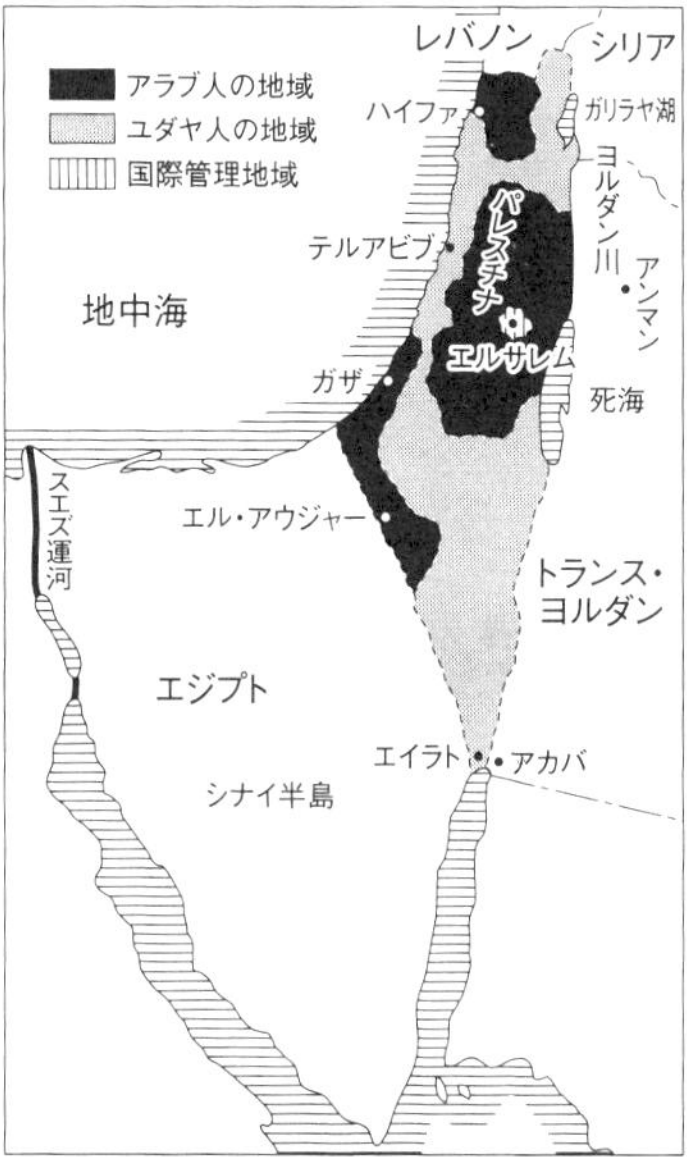

資料：鏡武著『中東紛争』（有斐閣、2001年）

一九四八年五月一四日にパレスチナに対するイギリスの委任統治が終了し、イスラエルが国家独立宣言を行うと、イスラエルと、その国連決議を認めないアラブ諸国との間で戦争になった（第一次中東戦争）。緒戦においては戦局はアラブ軍に有利に展開したが、イスラエル軍は士気が高く、武器、装備の点でア

第一次中東戦争(1948-49年)後のパレスチナ

資料:鏡武著『中東紛争』(有斐閣、2001年)

ラブ諸国よりもすぐれ、東エルサレムを失ったものの、次第にアラブ軍を圧倒していった。四九年二月から七月にかけてロードス島でイスラエルとアラブ諸国の間で個別に休戦協定が成立する。この休戦協定によって領土の処理は戦争の結果に基づいてもたらされ、パレスチナ全土の約七五％がイスラエルの支配下に置かれることになり、それは国連パレスチナ分割決議で、ユダヤ人の国に割り当てられていた地域（パレスチナ全土の五七％）を上回るものであった。

第三次中東戦争とユダヤ人によるエルサレム支配

一九五六年のスエズ運河国有化に見られるエジプトのナセルを中心とするアラブ・ナショナリズムの高揚は、パレスチナ人にも大きな影響を及ぼしていく。エジプトは、イギリス、フラ

1967年6月の第三次中東戦争。出動したヨルダン軍戦車（ＵＰＩ・サン）

ンス、イスラエルと戦った第二次中東戦争に敗れたものの、イギリス、フランスという植民地主義勢力の退潮をもたらしたナセルは、アジアやアフリカなど発展途上地域のヒーローになった。

パレスチナでは、六〇年代初頭に「パレスチナ解放」を目的とするゲリラ組織「ファタハ」が設立されたが、その指導者は、後にＰＬＯ議長となるヤーセル・アラファトだった。彼は、二九年にエルサレムで生まれている。アラファトは、第一次中東戦争の敗北と、アラブ諸国の思惑によってパレスチナ人の国家が成立しなかったことに大きな衝撃を受けた。ファタハの目標は、イスラエルを敗北させるために、パレスチナ人が行うゲリラ活動を契機に、アラブ諸国を巻き込んだ対イスラエル全面戦争にもち込むというものであった。

ファタハは六〇年代中頃からヨルダンなどを拠点

第三次中東戦争（1967年）後のパレスチナ

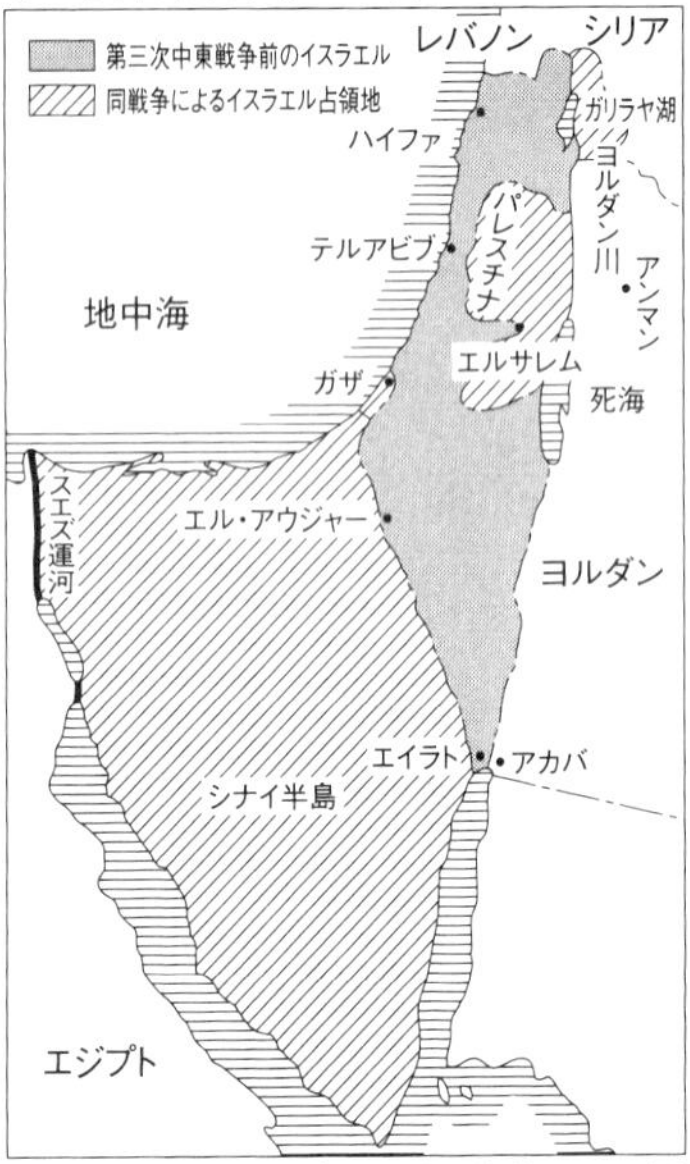

資料：鏡武著『中東紛争』（有斐閣、2001年）

にイスラエルへのゲリラ攻撃をしかけ、それに対してイスラエルが激しい報復攻撃を繰り返していた。また、シリアは一九六四年、ヨルダン川上流の水流を変える工事を開始したが、その工事現場をイスラエルが繰り返し爆撃した。このように、六六年末から六七年初めにかけてイスラエルとアラブ諸国の緊張はいやがうえにも高まっていった。イスラエルとの緊張を背景に、またアラブ・ナショナリズムの高揚に応えてエジプトのナセル大統領は、チラン海峡封鎖を宣言する。

紅海の出口であるチラン海峡を封鎖されれば、イスラエルがエジプト所有のスエズ運河を使用できないこともあって、その艦船がインド洋に抜けるには地中海からはるかアフリカ南端の喜望峰を通過しなければならなかった。これは、イスラエルにとっては死活的な意味をもっており、イスラエルが戦争を開始する口実となった。

一九六七年六月五日、第三次中東戦争は開始されたが、イスラエルの奇襲によってエジプト、シリア、ヨルダン、イラクの空軍は壊滅状態になるなど、戦争はファタハの期待に反してイスラエルの圧倒的勝利となった。アラブ諸国は六月一〇日に停戦を受け入れ、戦争はわずか六日で終わった。イスラエルは、エルサレム旧市街を含む西岸とガザ地区を占領、さらにシリア領ゴラン高原とエジプト領シナイ半島もイスラエルの支配下に置かれた。

この大勝利の結果、イスラエルでは「大イスラエル主義（Greater Israel Concept）」が台頭し、パレスチナ全域をユダヤ人が支配するという思想が現実味を帯びることになった。このイデオロギーが現在「リクード」というイスラエルの右派政党のイデオロギーになっている。

第四次中東戦争とレバノン戦争

ナセルの後を継いだエジプト第三代大統領、アンワル・サダトは、内政・外交とも保守的な方策をとっていった。対イスラエル関係では、アメリカを通じてイスラエルに占領地からの撤退を求める国連安保理決議二四二号の受け入れを求めたが、イスラエルは何の妥協的な姿勢も示さなかった。彼は、イスラエルの占領を終わらせるために、シナイ半島のイスラエル軍に対する攻撃をしかけ、国際社会に対して現存する「不公正」をアピールしようとした。このエジプトが攻撃をしかけた一九七三年一〇月六日がユダヤ教の贖罪の日である「ヨム・キプール」

にあたるため、「ヨム・キプール戦争」とも呼ばれている。

緒戦は、イスラエルが不意をつかれたため、エジプト優位に進んだが、アメリカはイスラエルに対する空輸作戦を開始し、NATO（北大西洋条約機構）基地からアメリカの武器・弾薬がイスラエルに対して供給された。イスラエルは、アメリカの武器供与もあって次第に反攻に転じ、エジプト軍の進撃をくい止めたところで、サダトが一〇月一六日、停戦を提案し、一〇月二二日、国連支援の下に停戦が宣言された。

この第四次中東戦争は、イスラエルが初めて奇襲を受け、徹底的な勝利を収められなかった最初の戦争だった。この第四次中東戦争で得た自信がエジプトをイスラエルとの和平に向かわせることになる。サダト大統領は、一九七七年一一月九日、エジプト議会で演説を行い、その平和への切望からイスラエル国会に赴き、中東における和平の動きを推進する意図を明らかにすると発表した。

サダトと交渉にあたったイスラエルの首相は、リクードのメナヘム・ベギンという人物だった。アメリカ大統領ジミー・カーターは、エジプトのサダトとベギンを仲介し、七八年九月、キャンプ・デーヴィッド合意が成立した。その合意内容は、イスラエル軍のシナイ半島からの撤退と、シナイ半島における国連軍の駐在、エジプトはイスラエルとの国交の正常化と平和条約の締結を行うことなどを主な内容としていたが、これに基づいてエジプトはイスラエルとの

1978年９月、キャンプ・デーヴィッド合意が成立した（ＵＰＩ・サン）

平和条約を一九七九年三月に締結し、八二年四月にイスラエル軍はシナイ半島からの撤退を完了した。

イスラエルとの和平を推進するサダト大統領の姿勢は、アラブ世界からは「裏切り者」と見なされることになり、そのためほとんどのアラブ諸国がエジプトとの国交を断絶した。サダト大統領にとって、イスラエルとの和平がまさに「命取り」になった。彼のイスラエルと交渉する姿勢に憤った、急進的なイスラム・グループの「ジハード」に所属する軍人たちによって、一九八一年一〇月六日に第四次中東戦争の戦勝記念日の軍事パレードを観閲している最中に暗殺されている。

エジプトとの和平が成立すると、一九八二年六月六日、イスラエルの部隊がレバノン領内に侵攻し、南レバノンに拠点を築いていたパレスチナ・ゲリラに対する攻撃を開始した。これがレバノン戦争だ。

レバノン侵攻は、南レバノンにおけるＰＬＯの軍事拠点を壊滅させ、イスラエル国境から北四〇キロメートルをＰＬＯが存在しない地帯にする、またレバノンの他の地域、とりわけ首都ベイルートにおけるＰＬＯの陣地の破壊を目指し、レバノン政治におけるＰＬＯの影響力を排除、アラブ＝イスラエル紛争におけるＰＬＯの役割を減じさせることなどを目的とした。

しかし、強硬なレバノン侵攻は国際社会におけるイスラエルのイメージを著しく低下させることになった。特に八二年九月一六日から一八日にかけての三日間、二〇〇〇人から三〇〇〇人と推定されるパレスチナ人がサブラとシャティーラというパレスチナ人難民キャンプで虐殺されたことは、国際社会の強い非難を浴びることになった。また、レバノン戦争は、パレスチナ人に大きな教訓を残す。ＰＬＯの軍事力ではとうていイスラエル軍に対抗できないことをレバノン戦争が示した。ＰＬＯに対して軍事的オプション、すなわち軍事力によってパレスチナの現状を変化させようとする選択を変更させる。

このように、数次にわたる中東戦争を経て、イスラエル国家の抹殺という〈原則論〉よりも占領地である西岸・ガザにおけるパレスチナ国家建設という〈現実論〉がパレスチナ社会で強まっていった。何度もの中東戦争の意義は、イスラエルの圧倒的な軍事力の前に、次第にアラブ側がイスラエルとの共存という答えを見いだすようになったことといえる。

パレスチナ人の〔蜂起〕とイスラム勢力の台頭

パレスチナでは、イスラエルとの共存を考える現実論が強まっていったが、また自らの力で国家をつくろうというムードも高まっていった。それは、従来パレスチナの大義を支援していたエジプトが、イスラエルと平和条約を結ぶなど次第にパレスチナ人に対する支援を停止するようになったからだ。

また、レバノン戦争では、シリア以外のアラブ諸国はイスラエルの軍事侵攻に対して介入することがなかった。ここで、一九六七年の第三次中東戦争以来、イスラエルが占領していたヨルダン川西岸やガザ地区で、八七年末に、イスラエルに対する「インティファーダ〔蜂起〕」が起こる。それは、イスラエルの二〇年に及ぶ占領政策に対する反発から生まれたもので、銃を発砲するイスラエル兵に対して、パレスチナ人の青少年たちが、投石で抵抗する姿は国際社会の関心や同情を巻き起こしていった。

パレスチナ人の占領政策に対する抗議は、投石、商店閉鎖、交通ストなどの形態で行われていった。インティファーダの進行中に、パレスチナを訪れた時、普段は人がごった返してにぎわうエルサレム旧市街のアラブ人地区も店は閉められ、閑散としていた。商店閉鎖は、自らの経済活動を停止することにもなり、たまにすれ違うアラブ人たちの表情にも明るさはなかった。それでも閉められた商店の扉の中から声をかけ、店の中に招き入れる商人たちもいた。

こうした中で、パレスチナのイスラム組織も政治的性格を強めていった。一九二九年にエジプトで創設された「ムスリム同胞団」は、一九四五年からパレスチナでその支部が活動を開始したが、インティファーダの発生を契機に政治部門であるハマスが創設され、パレスチナ社会に対する影響力を強めていった。ハマスは、世俗的なPLOがイスラエルとの共存を目指す中で、「イスラエル国家の解体」を唱えた。ハマスによれば、パレスチナという土地はイスラムに与えられた寄進地なので、これをイスラエルに譲歩することはない。

パレスチナ人たちのインティファーダもイスラエルの強硬な姿勢によって、何の成果も生むことができなかった。湾岸戦争においてイラクのサダム・フセインは、イスラエルがパレスチナ占領地から撤退すれば、イラク軍もクウェートから撤退するという条件を出した。こうしたフセインの訴えによって、アメリカのブッシュ政権も中東和平進展の必要性を認識し、九一年一〇月にマドリード和平会議を開催した。これに対してイスラエルのシャミル政権はパレスチナ人代表としてのPLOの参加をあくまで拒んだ。パレスチナ人代表団は西岸、ガザのパレスチナ人だけからなり、その交渉能力は脆弱になり、交渉は難航した。

停滞したかに思われた中東和平プロセスであったが、九三年九月、イスラエルとPLOが初

1993年９月、歴史的な握手とされた暫定自治合意だが（ロイター・サン）

めて相互承認に踏み切った〔暫定自治に関する原則宣言〕が成立し、画期的な進展を迎えることになる。

　しかし、この〔暫定自治合意〕には、成立当初から多くの懸念材料が存在していたことも否めない。それは、①占領地にあるユダヤ人入植地の扱い、②エルサレムの最終的地位、③パレスチナ独立国家の問題、④パレスチナ難民の帰還などの問題だ。こうした難しさのため、暫定自治合意は、そのタイム・スケジュール通りになかなか進展しなかった。九三年一二月一三日までイスラエル軍のガザ・エリコからの撤退が実現せず、実際に撤退が実現したのは、九四年五月であった。

　暫定自治合意を推進していたラビン首相も九五年一一月に、国内右翼のテロで他界し、また、九六年にイスラエル国内でパレスチナのイスラム政治運動組織ハマスの過激派によるテロが発生すると、イスラエル国内で暫定自治合意による和平進展に躊躇する世論が高まることになる。その結果、九六年五月のイスラエル首相公選で勝ったのは、治安の優先を唱える右派政党リクードのベンジャミン・ネタニヤフであった。リクードは、イスラエルの領土的絶対性を説く政党で、パレスチナ全域はユダヤ人のものであるという〔大イスラエル主義〕に基づいている。そのため、ネタニヤフ政権が誕生した当初から和平の進展に対しては多くの懸念があったことは事実だ。案の定、ネタニヤフ首相は、入植地からの撤退を頑なに拒み、和平は明らかにきわめて鈍い進行となった。

パレスチナのイスラムとイスラムのパレスチナ

ネタニヤフ政権の後を受けて九九年にバラク政権が誕生し、バラク首相は〔平和的手段によるイスラエル＝アラブ紛争の解決〕を訴えたが、こうした主張はネタニヤフ前政権による和平の停滞によって閉塞感が続いていたパレスチナ社会に、ある種の期待をもたらすものだった。アメリカ・クリントン政権の仲介の下、ワシントン郊外のキャンプ・デーヴィッドでパレスチナの最終的地位に関する交渉が二〇〇〇年七月に行われたが、結局交渉は両者の歩み寄りが見られず決裂した。一番大きな争点は宗教の聖地であるエルサレム旧市街のとり扱いだ。イスラエル、パレスチナともここを首都と主張して譲らない。このようにエルサレム問題は、イスラムの大義として強く意識されるようになっている。

パレスチナのハマスに限らずイスラム政治運動は、イスラエル国家の存在を容認しようとしない。それは、とりもなおさずアラブ・イスラム世界の中心におけるイスラエル国家の創設と大量のパレスチナ難民の発生が、ムスリムにとってプライドを傷つけられるものだったからだ。また第三次中東戦争に伴うイスラムの聖地であるエルサレムの喪失は、ムスリムにとって苦渋に満ちたできごとだった。ほとんどのイスラム政治運動組織は、イスラエル国家の解体とエルサレムの解放を唱えている。

他方、ユダヤ教という宗教的アイデンティティーに基づくイスラエル国家の成功を見て、ムスリムの側でもイスラエルに優る宗教的情熱をもてば救済や勝利があるという認識が、特にアラブ人の間で第三次中東戦争以降強まっていった。これらの思いは実際にイスラエルに占領されるパレスチナ社会では一段と強く感じられたことは間違いない。

このようなパレスチナ人の感情を背景に、イスラム組織のハマスは支持を拡大してきたが、ハマスは徹底的に反ユダヤ、反シオニズムの立場をとっている。ハマスの政治プログラムには、ムスリムがユダヤ人を抹殺するまで、ムスリムには復活の日がやってこないというイスラムの伝承（ハディース）が紹介されている。

しかし、この伝承は、ユダヤ人を〔被保護民〕とし、それとの共存を考えるイスラム本来の教えとは異なる。つまりハマスはイスラムでは、正統とはいえないハディースを採用しているのだ。これは、ハマスがイスラム組織とはいいながらも、民族主義の立場からユダヤ人国家のイスラエルを意識している証拠であろう。

パレスチナでの生活は楽ではない。一九六七年にイスラエルによって占領されたガザ地区は、世界で最も居住条件が悪いといわれている。実際、ガザを訪ねると、粗末な住宅がひしめき合ってたっている。社会基盤の整備は立ち遅れ、ガザの中心を訪れ、しばらく歩いてトイレはどこかと尋ねたら、公衆トイレはないとパレスチナ人たちが苦笑いしながら答えていた。ゴミの処理も不十分で、街のいたるところにゴミの山があった。ガザでは下水道が整備されていないため、汚水が地下水に染み込んでしまう。その地下水を汲み上げて飲料水として利用するため、住民の間では肝臓疾患が多い。また、水資源の管理もイスラエルが行っているため、パレスチナ人たちは十分に水を利用することができない。一日に四時間、五時間断水することも頻繁にある。こうした生活上のストレスはイスラエルの占領政策やパレスチナ自治政府に対する強い不満にならざるをえない。

ハマスは、こうしたパレスチナ住民の生活上の不満を吸収して勢力を伸長させてきた。ハマスが経営する学校や病院は、住民に安く社会事業を提供することによって、ハマスへの支持を獲得し、拡大してきた。ハマスによる社会事業は、ムスリムの喜捨や、イスラムの教えを統治の建前とするサウジアラビアからの寄付などによってまかなわれている。パレスチナ自治政府が社会福祉に熱心とはいえない中で、ハマスの活動はパレスチナ住民の間で高い評価を得ていることは確かだ。

ヨルダン川西岸のエリコの町には、大きなカジノもできていたが、ギャンブルはイスラムでもユダヤ教でも禁止で、特にイスラエルではカジノの経営は許されていない。そのため、イスラエル南部の港湾都市、エイラトではカジノ船がイスラエルの領海の外に出て経営を行っている。イスラムのコーランでもギャンブルは禁止されているが、この禁じられているギャンブルをパレスチナ自治政府幹部の一族が経営していることは、パレスチナの敬虔なムスリムから見れば、決して許容できることではない。また、カジノの経営が許されないイスラエルのユダヤ人たちも大挙してパレスチナ人が経営するカジノに押し寄せるようになった。こうした自治政府の宗教的価値観からの逸脱への失望や憤りからも、ハマスに対する支持が拡大していることは間違いない。

中東和平は、聖地エルサレムのとり扱いなど今後も解決への道のりが険しいと思われる問題が多々存在する。二〇〇〇年九月にイスラエルの右派政党リクードのシャロン党首（二〇〇一年三月、首相に就任）が、岩のドームなどがあり、イスラムの聖域と見なされる「ハラム・アッシャリーフ」を訪問したことで、それに怒ったパレスチナ人とイスラエル軍の間で暴力的衝突が生じ、和平は危機に瀕するようになった。さらに、パレスチナの騒乱を背景に、イエメンのアデンではアメリカのイージス艦に対する自爆テロが発生した。

急進的なイスラム集団のテロや、それに対するイスラエル側の報復という悪循環を抑制し、また石油資源の安定確保を考えるうえで、中東和平の進展は欠かせない。国際社会が、平和を求めるイスラエルの政治・社会の動向や、また和平に反対するイスラム勢力の主張や訴えを考慮しつつ、和平が前進するような環境づくりを継続して支援していく必要があることはいうまでもなかろう。

第五章　現代の〈ジハード〉をスケッチする

カブール博物館入り口を警備するタリバーン兵士。所蔵の仏像が破壊された。2001年３月（ロイター・サン）

イスラムの平和思想とアフガニスタンのフランケンシュタインたち

欧米では、急進的なイスラム集団のテロなどをとらえて、イスラムを「暴力的な宗教」と表現する人々がいる。実際、アメリカなどでは、一部でイスラムを敵視する論調がある。しかし、イスラムは、本当に暴力的な宗教なのだろうか。

近年、イスラムの好戦性が強調されがちだが、イスラムでは本来、戦争は最後の手段である。預言者ムハンマドは、戦争よりも平和、対立よりも交渉を望んだ。正当なる戦争とは、〔ダール・ル・イスラム（イスラム世界）〕を防衛するための戦争なのだ。それは、ムスリムを守り、異教徒や偽善者に対する懲罰的なものにほかならない。

〔ジハード〕とは、ムスリムの集団的な行動であり、またムスリムの〔努力〕なのだ。近年イスラム世界では、このジハードという言葉がしばしば使われるようになった。たとえば、湾岸戦争でイラクのサダム・フセインは、多国籍軍に対するジハードを呼びかけたし、また一九八〇年代のソ連軍が侵攻したアフガニスタンでは、ジハードの名の下に、ムジャヒディン（イスラムの聖なる戦士たちの意味）がゲリラ戦を展開したり、またイスラム世界各地から義勇兵が参加した。

二〇〇〇年夏に訪ねたパキスタンで、そこの女性研究者は、「『ジハード』は『戦争』を必ずしも意味しない。本来、ジハードとはムスリムの強い努力を伴う行動を意味するのだ」と語っていた。また、パキスタンの青年の前で〔イスラム過激派〕という言葉を使ったら、「そんなのは欧米の認識だ」といって怒られた。〔過激派〕という表現は、イスラム世界で使用すると、ムスリムたちの神経を逆なですることになる。彼は続けて「アフガニスタンなどの武装集団に活動資金を与えているのはアメリカだ」と語った。

確かに、一九八〇年代、アフガニスタンのムジャヒディンに武器や資金、軍事訓練を施していたのはアメリカだ。アメリカはレーガン政権時代に、〔新冷戦〕という国際環境の下で、ソ連を封じ込めるために、ムジャヒディンたちを積極的に支援していた。

アフガニスタンは九〇年代末になってタリバーンという勢力がアフガニスタン全土の九〇%を支配するようになったが、そのタリバーンの創設に力を入れたのもアメリカだった。アメリカの石油企業は、中央アジア・トルクメニスタンのガス資源の輸出ルートとしてアフガニスタンに注目し、そこを通過してパキスタンに至るルートを開拓したかった。そのため、アメリカはタリバーンによるアフガニスタンの安定を考えた。

しかし、このタリバーンとアメリカの関係にとって障害なのは、タリバーンが女性の社会的進出を限定したり、また預言者ムハンマドにならって男性にひげを生やさせるなど、欧米社会から見れば人権侵害とも受けとれる措置を行っていることだ。また、タリバーンがアメリカを標的とするオサマ・ビン・ラディンを隠匿していることが、アメリカがタリバーンとの関係に積極的になれない背景になっている。ビン・ラディンは、八〇年代のアフガニスタン戦争で〔無神論〕のソ連と戦うために、いち早くアフガニスタンに身を投じた人物だった。ビン・ラディンの一家は、サウジアラビアでメッカやメジナなどイスラムの聖地における宗教施設の建築事業の受注に成功した、まさに大富豪といえるファミリーだ。

　ビン・ラディンは、このアフガニスタン戦争で、イスラム世界から義勇兵を募り、アフガニスタンに送りこんだ。こうした彼の行動はアメリカの好感をかうものであったことは間違いない。アメリカは、ＣＩＡを通じてビン・ラディンたちの活動を支援し、武器を供与したり、また彼らに軍事技術を提供したりしていった。

　しかし、このビン・ラディンが反米に転じたのは、湾岸戦争を契機にするものだった。湾岸戦争で、アメリカ軍がイスラムの聖地であるメッカやメジナがあるアラビア半島に駐留したことが、ビン・ラディンたちイスラム主義者の強い反感をかうことになった。ビン・ラディンは、イスラムの聖地を冒瀆《ぼうとく》するアメリカに対するジハードは、アメリカ人すべてに向けられるべきものだと考えている。

　ビン・ラディンは、アメリカが育てた人物だが、その彼がアメリカを標的にするようになった。まさにアメリカにとって、ビン・ラディンは〔フランケンシュタイン〕となったのだ。彼は、一九九八年八月のケニア、タンザニアのアメリカ大使館爆破事件の首謀者だとアメリカによって指摘されるようになり、実際、同じ月にアメリカはアフガニスタンとスーダンにあるビン・ラディンの軍事基地や化学兵器の製造工場を爆撃した。

その後、アメリカはことあるごとに〔ビン・ラディンの脅威〕を強調するようになった。アメリカ政府高官の外国訪問もビン・ラディンの脅威があることでしばしばキャンセルされることもある。しかし、アメリカに対するテロを考えるイスラム主義者たちがすべてビン・ラディンの指示に従っている、という考えはあまりにも底が浅い。アメリカのビン・ラディンへの対応は過剰で、きわめて単純とも思えるほどだ。

ビン・ラディンは、彼に会ったことがあるジャーナリストの話では、とても内気な人間だそうだ。実際、テレビのインタビューに応じた彼の姿は、もの静かな男という印象だった。しかし、彼のアメリカに対する闘争は執拗で、根深いものがある。ビン・ラディンは、イスラム世界から欧米の影響力を駆逐するためには、核兵器や化学兵器をムスリムがもつこともいとわないと述べている。

アメリカは、タリバーンがビン・ラディンをかくまっていると非難するようになったが、タリバーンがビン・ラディンをアメリカから守るのは、ひとつにはタリバーンのゲストということが理由になっている。つまり、イスラム世界の義理人情意識からタリバーンは客人のビン・

ラディンをアメリカに売り渡すことはしないと主張する。さらに、九八年のケニアとタンザニアの事件でアメリカの〔最大の敵〕となったビン・ラディンは、イスラム世界で名声があり、ビン・ラディンをかくまうことは、タリバーンに対する評価をムスリムの間で高めることになる。また、タリバーンにとってビン・ラディンら元アラブ義勇兵は、アフガニスタンでの反タリバーン勢力との戦闘に必要だ。

さらに、国連の経済制裁を受けるようになったタリバーンにとって、ビン・ラディンからもちこまれる資金がいよいよ重要になった。ビン・ラディンに資金援助をしているのは、サウジアラビアやUAE（アラブ首長国連邦）の富裕な階層だ。イスラム世界のNGO（非政府組織）も活動資金や軍事訓練を施していると考えられている。

ビン・ラディンが活動するタリバーン支配下のアフガニスタンでは、イスラム世界各地の反体制の武装集団が活動するようになった。パキスタンのイスラマバードに駐在する国連職員の話によれば、九九年にキルギス南部で日本人技師たちを誘拐したウズベキスタンのイスラム武装集団も、アフガニスタン北部のクンドゥズやマザリシャリフで軍事訓練を行っている。その数はおよそ二〇〇〇人程度と推定されている。日本人技師を拉致したナマンガニー司令官もアフガニスタンで活動するようになった。また、中国・新疆ウイグル自治区の分離独立派のウイグル人たちもやはりマザリシャリフ近郊で軍事訓練を受けていると見られ、さらにアフガニスタンには、エジプト、サウジアラビア、イエメンなどの反体制派のアラブ人たちも居住している。

この国連職員の話では、アフガニスタンに居住し、軍事訓練を受けている外国人の中で最も多いのはウズベキスタン人で、これからウズベキスタンの政情が不安定になるかもしれないと語っていた。

タリバーンに武器を与えているのは、パキスタンの軍統合情報部（ＩＳＩ）と見られ、アフガニスタンがパキスタンの友好国であるように図っている。それに対して、反タリバーンの〔イスラム協会〕というタジク人組織のマスード司令官派に武器を供給しているのは、ロシア、イラン、インドなどの諸国だ。こうして見ると、アフガニスタンをめぐって複雑な国際関係の構図が浮かび上がってくる。

ロシアは、その南縁でイスラム勢力が台頭することが自国の安全保障に影響を及ぼすものと思っている。ロシアのこうした懸念は、ますます現実味を帯びるようになった。たとえば、タジキスタンでは、イスラム復興党という政党が力をもっているし、またウズベキスタンには反体制派のイスラム武装集団がいる。さらに、チェチェンでもイスラム武装集団が対ロシア戦争の前面に立って戦っている。このように、ロシアにとって、イスラム勢力は自国の安定を脅かす最も憂慮すべきファクターとなった。また、ロシアによる〔イスラムの脅威〕の提唱は、その中央アジア諸国やコーカサス諸国に対する介入の口実ともなっている。

他方、タリバーンは、イスラムのシーア派を異端視し、シーア派国家であるイランとの関係が円滑ではない。さらに、インドは独立以来、犬猿の仲にあるパキスタンとの対抗上、反タリバーン勢力に対する支援を与え続けている。パキスタン軍部の間では急進的なイスラム主義者たちの影響が強くなっているが、最も物騒なシナリオは、パキスタンによるインドへの核の先制攻撃と指摘されている。実際、識者の一部ではパキスタンの軍部は核の抑止という考えに乏しいとみるようになった。

アフガニスタンで内戦が終わらないのは、こうした周辺諸国がタリバーンなどアフガニスタンの各勢力に対して武器や資金などを供与するためだ。パキスタンのある大学教授は、武器は空から降ってこないと語っていたが、まさにその通りだ。周辺諸国の思惑や介入がアフガニスタン情勢をいっそう複雑にしている。

八〇年代の内戦を通じてアフガニスタンは荒廃してしまった。カブールを見た国連職員は、その破壊のすさまじさは、ボスニアやコソボの比ではないと語っていた。そのため、アフガニスタンでは産業もなくなり、若者たちは武装集団に身を投ずることによってしか生計を立てられない。このように、経済基盤の喪失もアフガニスタンの内戦が泥沼化するひとつの大きな要因となっている。

タリバーンは、世界的に著名なバーミヤンの大仏を二〇〇一年三月に破壊した。歴史的に貴重なシルクロードの文化遺産の喪失を惜しむ声や、タリバーンの〔暴挙〕に対する抗議や怒りが国際社会に広まった。

イスラムでは、第一章でも述べた通り神の唯一性を尊ぶ。人間が信仰の対象とすべきはその唯一絶対たるアッラーのみ、というのがイスラムの宗教信条だ。そのため、仏教のように、偶像を信仰の対象とすることはイスラムでは行わない。ムハンマド・オマール師などタリバーンの指導者たちが偶像の破壊を指示するのは、こうしたイスラムの教えに一応基づいていた。

1500年前に造られたバーミヤンの大仏が破壊された。2001年3月（ロイター・サン）

しかし、タリバーンのように、異教徒の偶像である仏像を徹底的に破壊しようとする姿勢は、イスラム世界ではほとんど見られることがなかった。実際、アフガニスタンに進出してきたムスリムたちも仏教の信仰には寛容で、そのためバーミヤンの大仏も完全な破壊を免れてきたし、首都カブールの博物館では、一九七九年のソ連軍の侵攻を契機とする内戦が始まるまで、多くの仏像が展示されていた。

仏像破壊は、タリバーンをめぐる内外の情勢が厳しくなったことを背景にしていた。オサマ・ビン・ラディンをかくまうタリバーンは、一九九九年来、国連の経済制裁を受けるようになり、この制裁によって、二〇〇一年の最初の二カ月間で、物価が三〇％余りも上昇するなどアフガニスタン国内は経済的苦境にあった。

また、二〇〇〇年に発生した干ばつが原因で、食糧不足が深刻となり、二〇〇一年春には百万人余りの人々が飢餓に瀕していると見られた。さらに、反タリバーンの〈北部同盟〉との戦闘も膠着状態で、国民の間には厭戦気分が広がっていた。元々、アフガニスタン人はタリバーンに平和の回復と社会・経済的安定を期待したが、これでは人々の支持が低下するのも当然だ。

タリバーンによる仏像破壊は、社会・経済的不満が渦巻く国内の引き締めをねらったものであったに違いない。宗教的というよりも、政治的な意図から発せられたタリバーンの破壊活動に対しては、イスラムの正当な行為ではないとして、イスラム世界からも強い非難があった。タリバーンの教条的イデオロギーや行動は、他の宗教の活動には干渉することが少なく、〈平和〉を意味する宗教であるイスラムでは、〈異端〉で、極端なものだった。

アフガニスタン料理は、キャバーブ（焼肉）や焼き飯、またナーンというパンや、サラダやヨーグルトなどが主流だ。パキスタンにもアフガニスタン料理屋が比較的多くあって、キャバーブを焼く屋台からは煙がもうもうと立っている。アフガニスタンのカブールで暮らす少年は、キャバーブを食べたいからムジャヒディンに入りたいと語っていた。それほどアフガニスタンには、人々の生活の拠り所がなくなっている。アフガニスタンの〔ジハードの子供たち〕は、難民としてパキスタンに逃れた世代で、パキスタンの神学校で教育を受け、さらにタリバーンの兵士となっていく。こうした図式でアフガニスタンとパキスタンの一体化がいっそう進むようになった。

自国に主だった産業がないことによって、アフガニスタンではケシの栽培が盛んになった。最もてっとり早い収入として、ヘロインなどの麻薬はタリバーンや反タリバーン勢力など戦闘を行う勢力の重要な収入源となっている。もちろん、イスラムでは酒と同様に神経を麻痺させる麻薬は禁じられている。イスラムでは禁じられている麻薬の売買にタリバーンが手を染めるのは、タリバーンという組織の二面性を表わすものだ。

パキスタン――急進的なイスラムの震源地？

アフガニスタンとの関係を深めるパキスタンでは、イスラムの復興が急速だ。なぜこの国でイスラム運動が力をもつのか。それは、やはり他のイスラム諸国と同様に、この国の貧困と結びついている。パキスタンでは国民の四五％余りが貧困ラインより下での生活を余儀なくされている。ここでは、都市人口は二〇％、地方の人口は八〇％で、教育を受けた中間層が五％から七％と極端に少ない。こうした貧困層に教育や福祉を施してきたのは、やはりイスラムのモスクだ。たとえば、ムルタンという都市では、ひとつのマハッラ（街区）に一五〇余りのモスクがあるという。このモスクが礼拝や、教育、さらに福祉事業を通じて社会的な結束をもたらしてきた。

実際、パキスタンを訪れ、車で小さな町を通過すると、町の至るところに、モスクがあることに容易に気づく。これらのモスクは決して大きくない。しかし、町の中にほぼ等間隔に置かれているモスクを見ると、近隣の人々が連帯を強める場であることは想像に難くない。また、緑（イスラムの色）の小旗をもった人たちが、喜捨を集める光景を頻繁に目にした。

さらに、パキスタン社会でイスラムの役割を再認識させたのは、国際的な背景として、一九七九年のイラン革命、一九八〇年代のソ連軍のアフガニスタン侵攻、またズィア・ウル・ハクの軍事政権が政治の正当性をイスラムに訴えたことなどがある。さらに、ソ連の崩壊によって、アメリカの一極支配時代が訪れたが、その国際システムの中で、ボスニア、カシミール、コソボ、チェチェン、パレスチナでムスリムが紛争に巻き込まれ、なおかつ異教徒によって抑圧されていることが一般の大衆に強く認識されていく。これらの紛争を通じて、アメリカという大国は「ムスリムに冷淡である」という印象が広まらざるをえなかった。

また、テレビの報道番組の普及などパキスタンにおける情報化の進行は、多くのパキスタン人に世界各地でムスリムがひどい仕打ちを受けているという印象をもたせるようになった。さらに、国内的にはベナジール・ブットやナワーズ・シャリフなど世俗的性格の強い政権が腐敗や無能を露呈すると、次第に清廉なイスラム組織に人々の関心が集まることになる。

この国ではデオバンディ派というイスラムの宗派の信仰が盛んで、この宗派がアフガニスタンで台頭するタリバーンに影響を与えてきた。このデオバンディ派は、一九世紀インドで起こったイスラムの改革思想を背景にしていて、イスラムを厳格に解釈し、女性の社会的役割を極端に限定するとともに、シーア派を異端視してきた。復古的ともいえるデオバンディ派の拠点となっているのは、パキスタンのカラチにあるビヌーリー・モスクで、ここにはイスラム世界各地から神学生が集まるようになっている。またデオバンディ派の考えに共鳴する世界各地のムスリムからの寄付は、ヨーロッパやアメリカ、さらにフィリピンに至るまで四五カ国に上るという。

アフガニスタンでタリバーンが台頭したのは、一九八〇年代のアフガニスタン戦争が影響している。ソ連のアフガニスタン侵攻ではおよそ三〇〇万人とも見積もられる難民がパキスタンに流入してきたが、その難民たちを組織化していったのは、パキスタンのデオバンディ派の

筆者の取材に答えるイスラム聖職者協会の指導者たち。ペシャワル

「イスラム聖職者協会」などの組織だった。この「イスラム聖職者協会」の本部があるペシャワルを二〇〇〇年夏に訪ねた。

ペシャワルは、アフガニスタンとの国境にあるハイバル峠に近い北西辺境州にある町だ。イギリスの帝国主義支配の時代につくられた新市街が整然としているのに対し、旧市街にはいまだに馬車が人や物資の輸送に使われており、舗装されていない道路では、自動車やバスなどが走るたびに埃がたっている。「イスラム聖職者協会」のモスクがあるのは、そんな旧市街の街中で、モスクの前にはキャバーブを焼く店がもうもうと煙を出していた。モスクには、イスラムの宗教学校であるマドラサがあり、教育活動も行っている。

パキスタンの有力紙「ニューズ」の記者、ラヒムッラー・ユースフザイ氏の紹介で、〔イスラム聖職者協会〕の有力なメンバーたちに会うことができた。その中には、組織の事務局長のマウラナ・グル・ナスィーブ・ハーン氏などが含まれていた。彼らは、一様に濃いひげをたくわえていたが、私を見ると、「君にはひげがないじゃないか」と茶化されてしまった。組織の目的を尋ねたら、人は地上における神の代理なのだから神の正義をこの世に実現する義務があり、抑圧された人々が権利を獲得し、帝国主義のくびきから解放されることを目指していると語っていた。彼らがいう〔帝国主義〕とは欧米先進諸国のイスラム世界への進出にほかならない。

抑圧された人々を解放するためには、民主的方法によって、イスラムに基づく制度をつくり、またイスラムに基づく教育を人々に施していかなければならない。〔イスラム聖職者協会〕が目指す正義のシステムとは、利子をとらないイスラム経済を確立することで、そこでは人々が搾取されることがない。また、ムスリムを搾取する多国籍企業をイスラム世界から排除しなければならない、と指導者たちは語っていた。その多国籍企業の中には日本のトヨタも含まれるとメンバーのひとりが発言すると、皆私の顔を見てにやにや笑っていた。

〔イスラム聖職者協会〕は、イスラムのイデオロギーによって、政治や社会を変えることを目指し、教育など平和的手段によって変革をもたらすことを目的としているという。寄付によって、教育活動を行い、数千の学生たちを教育している。また、〔イスラム聖職者協会〕は、人々の日頃の不満や人権侵害にも耳を貸し、その解決のための支援を行う。たとえば、人権侵害には警官のいき過ぎた逮捕や取り調べがあるという。

〔イスラム聖職者協会〕はアフガニスタン難民を組織化したが、特に難民たちの生活支援のために聖職者であるウラマーが寄付を募り、難民の子弟たちに対して〔イスラム聖職者協会〕のモスクやマドラサが教育を施してきた。〔イスラム聖職者協会〕とタリバーンの関係が親密なのは、タリバーンはムスリムで隣国の組織であり、さらにパキスタンの同じモスクで学習したからだという。タリバーンは、アフガニスタンの多くの地域で戦闘の停止をもたらしたために、人々の支持を得るようになった。〔イスラム聖職者協会〕は、負傷したタリバーンの兵士を支援したり、また説教を通じてアフガニスタン人の間の誤解や対立を解くことを目指している。

また、タリバーン支配下のアフガニスタンで女性が抑圧されているという報道は誤りである、と〔イスラム聖職者協会〕の指導者たちは語っていた。イスラムは女性を搾取しない。また〔イスラム聖職者協会〕は、女性の労働には反対しない。タリバーンが女性の役割を限定しているというのは間違いで、タリバーンは女性に財産相続も認めている。また、女性に教育を施し、女性は病院でも働いている。イスラムは欧米とは明らかに違う文化をもっており、欧米が自らの価値観に合わないからといって批判するのは自らの傲慢さを表わすものだ。クリントン大統領と〔不適切な関係〕をもったモニカ・ルウィンスキーのような非道徳的な権利にはイスラムはあくまで反対だと冗談半分に語っていた。そこで、厳格なイスラム主義者たちの彼らがにやにや笑っていたのが何やらおかしかった。

実際、イスラムが勃興してから女性の権利が拡大したことは事実だ。イスラム誕生以前のアラビア半島では、女性は物品のように扱われ、労働力として頼りにならない女児は嬰児殺しの対象となったりした。女性に財産相続が認められるようになったのは、イスラムの相続法によってである。

こうした〔イスラム聖職者協会〕の指導者たちの見解は、イスラムの統治概念、民主主義の考え、相互扶助の精神など、根本をよくいい表わすものであることは間違いない。彼らの柔和な表情からアフガニスタンでタリバーンが行っている武装活動を想像するのは難しいものであった。この〔イスラム聖職者協会〕もまた、他のイスラム組織と同様に、青年層への浸透に成功している。その下部組織である〔イスラム学生協会〕は大学生組織として、貧しい学生に対するさまざまな経済支援などを通じて影響力を拡大し、四〇万人のメンバーがいるという。〔イスラム聖職者協会〕は、その指導者たちが一〇〇万人のメンバーを抱えていると豪語するほどパキスタンでは有力な組織となった。

〔イスラム聖職者協会〕の指導者たちの述べた考えは、穏健なイスラムの政治・社会思想である。しかし、戦闘を行うような急進的なイスラム組織は、そのイスラムに関する解釈が極端ともいえるほど独特だ。やはりペシャワルで会った青年の弟は、カシミールの紛争に義勇兵として参加して一七歳で戦死した。彼らの父親はペシャワルの小規模な町のモスクの礼拝指導者だ。モスクには、金曜日の集団礼拝におよそ一〇〇〇人の人が集まり、その他の日には、正午の礼拝に三〇〇人、夜明けの礼拝に四、五人、日の入りには三〇人ぐらいの参加者があるという。亡くなった弟がメンバーであったのは、「アル・バドル（預言者ムハンマドが最初に異教徒と戦った土地の名前）」という組織で、カシミールのパキスタンへの併合を目指している。

カシミールの住民の大多数は、ムスリムだが、イギリス領インドが独立する際に、カシミールの藩王は、パキスタン側から攻撃を受けたことを理由に住民の意思を無視してインドへの帰属を決定してしまった。国連決議では、カシミール住民の投票によって、カシミールの地位を決めることになったが、しかしインドはこの国連決議を無視して住民投票を行おうとしていない。そのため、カシミールのムスリムたちの民族的な欲求はいきおい暴力に訴えることにならざるをえない。

特に、インドがカシミールの州議会選挙の選挙結果を不正に操作したと見られる一九八七年以降、カシミールではイスラム系住民の軍事活動が活発になった。パキスタンは、独立以来、このカシミールのムスリムの民族自決運動を支援している。インドへの対抗上、「カシミールの大義」を支援することは、パキスタンのモットーともなり、それが国民を統合する機能も果

1998年５月核実験を報じる新聞を読むパキスタン市民（ロイター・サン）

たしてきた。

ペシャワルで会った青年の弟は、まさにこの〔カシミールの大義〕に殉じたのだ。青年の家族は、弟が〔殉教者〕になり、神（アッラー）やイスラムのために死んだことに無上の喜びを感じているという。こうした考えは、その家族の個人的な背景にも起因することは間違いない。青年の親族は、三人がカシミールの紛争で亡くなり、その父親は青年たちが幼少の頃からカシミール問題の〔不合理〕を説き、兵士のように子供たちを育ててきたという。

このようにカシミール問題は、ヒンドゥー教徒という異教徒からムスリムを守るジハードとしてますます意識されるようになっている。インドがカシミールを放棄する気配はなく、カシミール紛争は、とりわけカシミールのイスラム系住民やパキスタン人たちにとって、ジハードとして位置づけられ、核兵器をともにもつインド、パキスタンは不気味な南アジアの火薬庫であり続けるだろう。

パキスタンは、急進的なイスラム運動の拠点とも表現されるようになったが、この国では、〔イスラム聖職者協会〕のような復古的なイスラム組織や〔アル・バドル〕のようなジハードを追求する組織ばかりではない。現代においてイスラムをどのように運用していくか、さまざまな考えがあることは確かだ。より穏健な考えをもつ〔イスラム協会〕は、今日の科学を受け入れ、イスラムの伝統との調和を目指す。〔イスラム協会〕は、比較的教育のある階層に支持者が多く、都市を基盤に活動を展開している。この組織もまた大学生組織をもち、青年層への浸透に成功し、また民主主義を容認している。

パキスタンでは、ヒンドゥー教のインドとの対抗上、イスラムが国を束ねる役割を果たしてきた。今後もイスラムはパキスタンの政治・社会の中心に位置していくことは間違いない。パキスタンのイスラム勢力は、いかにしたらムスリムがかつてもっていた自信をとり戻すことができるかを考え続けている。イスラムを現代に有効なイデオロギーとしていかに活性化させることができるか、その方法に関する模索は今後も続いていくだろう。

エジプトのイスラム過激派

エジプトは、ギザのピラミッドやルクソールの遺跡で有名な観光立国だ。湾岸のアラブ諸国とは違って資源が豊富ではないこの国では、観光こそが重要な経済資源となっている。エジプトは貧しい国で、ひとりあたりのGNPは一二〇〇ドルほどにすぎない。そのため、観光客と見ると、金をねだるしつこいエジプト人に辟易することもある。

カイロの中心、タハリール広場に面してエジプト博物館がある。この博物館の目玉は例のツタンカーメンの黄金のマスクだ。ここでは入り口に写真撮影の際にフラッシュ禁止と書かれてある。しかし、博物館の中に入ると、警備の警官がやって来て、「フラッシュをたけ」と必ずいってくる。そこでフラッシュをたくと、「バクシーシ（おめぐみ）を」といってお金をせびられる。

また、一九七九年のイラン革命で国を追われた国王モハンマド・レザー・パフラヴィーの墓は、カイロのアル・リファイ・モスクの中にある。そこは通常鍵がかけられているが、モスクを管理するエジプト人が鍵をあけて見せてくれる。この時も「バクシーシ」といわれた。ルクソールに行った時も、遺跡の管理人が紙の包みから焼け焦げた椰子の実のようなものを見せてくれた。これは何だねと尋ねたら、ミイラの首だといったが、この時もバクシーシを要求された。

このバクシーシのため、小銭のもち合わせがないと、エジプト旅行は苦しいことになる。バ

エジプト・ルクソール、ハトシュプスト女王葬祭殿

クシーシを求められながら、小銭がないために一銭も上げられないことになると、こちらのせいではないが、何となくばつが悪い。しかし、バクシーシの慣行がない国の人間にとっては、これは大変うっとうしい。以前、ルクソールの遺跡でやはり鍵がかけられてある場所を見せられてバクシーシを要求されたフランス人の女性は、「私たちはすでに入場料を払っているのよ」といってその支払いを拒んでいた。これらのバクシーシの要求はひとつにはエジプトの貧困を背景にするものだ。

エジプトでイスラムによる政治・社会の改革を考える運動が強まったのは、アラブ・ナショナリズムを唱えたナセル政権（一九五六〜七〇年）の挫折を背景にしている。アラブ・ナショナリズムとは、前にも見た通り、アラブ世界の独立と統一を達成して、その繁栄を考えるというものだった。実際、アラブ・ナショナリズムには、アラブ世界が当時世界を支配していたアメリカやソ連を凌駕するほどの勢力になるという期待がかけられた。

しかし、カリスマ的な人気を博していたナセルのアラブ・ナショナリズムも一九六七年の第三次中東戦争でイスラエルに大敗北を喫したことによって大きく退潮することになる。また、ナセルが推進した非宗教的なナショナリズムは、エジプトの社会・経済問題の解決に有効でなかった。特に、わずか六日間でアラブ諸国の軍隊が壊滅した第三次中東戦争は、アラブ人たちに大きな精神的ショックを与えることになる。エジプトでは、人々の間に、停滞したムードが広がっていった。

一九七〇年九月にナセルが他界すると、その後継のサダト政権は、国内の左翼勢力に対抗するために、一九二九年にハサン・アルバンナーが創設したムスリム同胞団等のイスラム勢力を利用するなど保守的傾向を強めた。イスラム復興の潮流が強まり、七〇年代になるとイスラムの説教師がテレビに登場し、メディアの中でイスラムのイデオロギーを訴えていく。

他方、サダト政権の下での西側諸国への接近によって、欧米文化が流入するに伴い、エジプト人はそのアイデンティティー・クライシスを起こさざるをえなかった。コカコーラ、マクドナルドなどアメリカ企業の進出がエジプトでは目立つようになり、またアラビア語の語彙の中に、「スーパーマーケット」「デパート」など英語の言葉が入るなど、伝統的価値が侵蝕されているという思いが次第にエジプト人の間で明白になっていった。この点で、ムスリムの自らのアイデンティティーに対する固執は実に頑固だ。日本人は容易に外来文化を受け入れるが、ムスリムたちは伝統文化との相克を強く感じることになる。

サダト政権は、ムスリム同胞団への接近を強めたが、イスラム復興思想の影響を受ける富裕層もまたムスリム同胞団の活動に共鳴し、同胞団に経済的基盤を提供していった。この同胞団の活動目的は、コーランの教えを正確に理解することだけではなくて、その正しい理解を実際の生活の中で適用することにあった。こうした訴えは、エジプトがイスラエルとの戦いに敗北し、さらに社会・経済的に混迷すると、多くの大衆の間で支持を広げていった。

ムスリム同胞団は、神の教えの普及を、暴力を使わずに教育やマスメディア、さらに社会事業などを通じて考えるようになった。エジプトでは、暴力を使ってその理想を実現しようとするイスラム組織もあるが、コーランにもあるように、殺人は人類全体を殺害するに等しい、とムスリム同胞団は主張する。同胞団によれば、「ジハード」とは、ひとつには自分自身の内面の闘争であり、悪魔との戦いだ。その意味では「自制」とか「努力」に通底するものがある。

もうひとつの「ジハード」の意味は、自らをイスラムの教えを広めるための「道具」とすることだ。また、ムスリム以外の者がイスラム世界に侵攻してきた時にはそれを守る義務がある。

そのため、イギリス植民地主義者への闘争や、イスラエル建国に反対した一九四八年の第一次中東戦争への参加は、ムスリムとしての意義があり、それは〔ジハード〕だった。ムスリムがムスリムを殺すことなど絶対に正当化されない。それゆえ、同じムスリムを殺害するアフガニスタンのタリバーンのような組織の活動は、イスラムの教えからは絶対に正当性を得られるものではない、とムスリム同胞団は主張している。

同胞団によれば、イスラムが社会・福祉事業を重視するのは、他者を助ければ助けるほど、他者から信頼されるという考えに基づいているという。そのため、ムスリム同胞団は貧困層の救済を重視し、たとえば断食月明けに貧しい人々の家の前に肉を置いたりする。実際、一九九二年のカイロ地震の際にも真っ先に被災者の救援にかけつけたのは、ムスリム同胞団だった。ムスリム同胞団は、その傘下に二〇万人の医者を抱えており、医師の組合は、医療保険の業務をも行い、貧しい人たちの医療に貢献している。ムスリム同胞団は職種別の組合づくりに成功し、医師、エンジニア、教師、法律家などの組合に影響力を浸透させてきた。

また、カイロで会ったムスリム同胞団のスポークスマンは、イスラムは他の宗教にはない包括的な生活の道しるべだと述べていた。イスラム法であるシャリーアは、個人、家族、社会、国家、政治などあらゆる領域を規定している。シャリーアは、政治支配者をいかに選ぶか、人々の権利は何であるかを規定する。さらに、イスラムは社会正義や自由を確立し、シャリーアは不正義な政治支配者に圧力をかけることができる。しかし、他方でシャリーアをエジプトにいるコプト教徒など非ムスリムに適用することがあってはならない、とそのスポークスマンは述べていた。

ムスリム同胞団は、科学や技術はイスラムに反するものでないかぎりは受け入れている。そして、教育や福祉を重視し、病院、クリニック、孤児院、学校を経営している。エジプトの政府による社会事業は麻痺しており、それに代わってムスリム同胞団がこれらの事業を施すようになったという。いわばムスリム同胞団は、NGOのような活動を行っている。ムスリム同胞団は、イスラムを政治や社会、さらには経済の有効な論理と考えるが、ビン・ラディンやタリバーンのような暴力を使う集団には反対する、と主張している。また〔神の呼びかけ＝ダワ〕の考えに基づいて、同胞団もまた預言者ムハンマドのメッセージを世界中に広めるよう努力している。

エジプトでは、一九九七年一一月にルクソールで観光客虐殺事件が起きたように、暴力を使う急進的なイスラム武装集団の活動があったが、政府による苛酷な拷問や抑圧によって、九〇年代の末になって力を喪失し、エジプト政治から大きく後退するようになった。エジプトのイスラム武装集団は、〔ジハード〕を極端に解釈し、彼らが〔不敬虔〕と見なす政治指導者や欧米に対する暴力的なテロを繰り返していった。エジプトのイスラム武装集団を最初に有名にし

祈りの場であり休息の場でもあるモスクの内部。エジプト・カイロ

たのは、八一年一〇月に発生したサダト大統領暗殺事件だった。アメリカなど西側諸国に接近し、国民の経済格差を広げ、さらにムスリムの土地を占領するイスラエルと和平条約を結んだサダト大統領は、ムスリムの裏切り者と見なされた。この暗殺事件は、その名も「ジハード」という組織によって引き起こされた。

　これらの急進的なイスラム集団の要員は、エジプトを追われてイエメン、サウジアラビア、ボスニアなど世界各地で活動するようになった。エジプト政府によるイスラム組織に対する苛酷な弾圧は、急進的なイスラム集団と関連があると見なされたモスクで礼拝を行っていた人々を全員検挙したように徹底したものだ。人権《じんけん》蹂《じゅう》躙《りん》も行われ、刑務所では小さな一部屋に五人もすし詰めにされ、そこは空調の設備もないことは当然だそうだ。

暴力を使うイスラム集団は、その活動資金を寄付やサダカと呼ばれる自発的な喜捨によってまかなってきた。さらにこれらの集団はイギリスのロンドンに活動拠点をもっており、ロンドンの組織を通じてヨーロッパに居住する富裕なムスリムが資金を提供する場合もあった。

また、イエメンからスーダンを経てエジプトに武器が流れるルートがあった。実際、イエメンは武器の管理が甘いことで有名だ。イエメンを訪問した時、四輪駆動車は強盗にあうといわれた。強盗集団にとって四輪駆動車は便利に思われているらしい。そのため、イエメンで地方に移動する際、四輪駆動車ではなく、普通の乗用車タイプのタクシーを使ったことがある。

イエメンではソマリア紛争を逃れたソマリアからの難民を多く見かけたが、イエメンからアフリカ大陸までは案外近い距離にある。こうしたイエメンからの武器の流れが、エジプトの急進的なイスラム集団の活動をより過激にしていったことは間違いない。エジプト南部で繰り広げられていたイスラム集団と治安部隊の暴力的な抗争は、イスラムとはほとんど関係がない行為だった。イスラム集団のメンバーが警察によって殺害されると、そのメンバーの家族が警官に復讐する。このように、伝統的な〔復讐〕の概念に基づいて暴力の応酬が行われた。

イスラム武装集団による暴力が吹き荒れていたエジプトだったが、一九九七年のルクソールでの観光客襲撃事件以降、イスラム過激派に対する支持は低下したと見られている。この事件によって外国人観光客が激減し、観光関連の事業で働くエジプト人たちを経済的苦境に置いたからだ。こうしたエジプト人一般のムードを背景にして、暴力に訴えてきたイスラム組織もその有効性を疑問視するようになった。イスラム武装集団のメンバーの中には、選挙への立候補を考えるようになった者もいるほどだ。

エジプトでは、ムバラク政権の下でムスリム同胞団や過激なイスラム集団などイスラム組織に対する弾圧が進んだ。そのため、イスラム組織の力が弱まったという現地ジャーナリストの声にも接した。指導者たちの逮捕・拘禁によって組織を運営する者たちが存在しなくなったことも、イスラム武装集団の活動を弱体化させることになった。イスラム集団の弁護を務める法律家のモンタセル・ザヤト氏は、イスラム集団の活動は、ほとんど停止したと語っていた。それほど政府によるイスラム集団への締めつけは苛酷を極めた。しかし、彼はエジプトの選挙システムが公明正大だったら、イスラム集団の多くのメンバーが議員になれるとも述べていた。エジプトでは、選挙の際に内務省の審査によって、体制にとって不都合な人物は立候補できないことになっている。

エジプトでは、イスラム勢力の実力は決して侮れないということだろう。ザヤト氏は、拘禁されているイスラム集団のメンバーを二万五〇〇〇人と推定したが、イスラム集団は全体で五万人のメンバーがいるという。ザヤト氏によれば、イスラム集団の目的は、やはりイスラム価値の普及とシャリーアの適用にある。この点では、穏健なムスリム同胞団とイスラム集団の目的は変わらない。エジプトのイスラム集団の指導者は、ムスタファ・ハムザという人物だが、その滞在先は不明だ。

また、イスラム世界全体でもビン・ラディンの犯行と見られるケニア、タンザニアのアメリカ大使館爆破事件以降、イスラム武装集団に対する取締りが進んだ。従来、エジプトの武装集団に対する資金は、湾岸のアラブ諸国からの寄付が多かったと考えられている。特にサウジアラビアは、イスラム世界の危機を強く感じ、国家や個人のレベルでイスラム勢力に対する寄付を与えてきた。アメリカはパレスチナのハマスのテロ活動に対するイランの関与を指摘するが、ハマスに対する資金的な援助はイランよりもサウジアラビアのほうがはるかに多いことは確かだ。

九五年の総選挙でムスリム同胞団系の議員はひとりしか誕生しなかった。それは、ムバラク政権の選挙操作によってだった。ムバラク政権は、選挙で当選しそうな同胞団のメンバーを逮捕・拘禁したり、また選挙に出馬できないように妨害したりした。しかし、ムスリム同胞団の活動に対する妨害や、イスラム武装集団に対する苛酷な弾圧は、ムバラク政権がいかにイスラム主義の運動を警戒しているかを示すものだ。明らかに、ムバラク政権は、政治や社会の改革を目指すイスラム運動の実力を知っている。エジプトでは、大統領の信任投票が行われれば、

スカーフをかぶったカイロ大学の女子学生。エジプト

大統領への信任が九五%を超すような政治システムとなっている。こうした権威主義的な方策がなければ、エジプトでは一挙にイスラム運動が高揚するに違いない。

また、イスラム組織への弾圧には成功しても、個人のイスラム意識は強まっているという声にしばしばエジプトで接した。ムスリムには礼拝の際に床に額《ひたい》をこすりつけるために、額に祈り胼胝《だこ》や痣《あざ》ができる場合が多いが、エジプト人の額にはこうした胼胝や痣が多い。それは、この国に敬虔なムスリムが多いことを表わしている。カイロの街では、モスクで集団で礼拝を行うムスリムの表情が一様に厳しいものであることに気づく。彼らのイスラムへの信仰は、一様に真摯なものがあるという印象を受けた。また、この国でもスカーフを着用する女性の数が着実に増えている。

エジプトで、イスラムは国民の文化的疎外感を背景に、有効な世直しの論理と考えられて成長しているのだ。

第六章　イスラムとの共存・共生を考える

熱心に学ぶパレスチナ難民キャンプの女性たち。1992年、ヨルダン

イスラムとアメリカの間に生じる誤解と〈衝突〉

資本主義と社会主義というイデオロギー対立が支配していた時代も、一九八九年に東ヨーロッパで共産党の単独支配が終わり、さらに九一年にソ連邦が崩壊すると、ようやく終焉を迎えた。アメリカはそれまで唱えてきた共産主義の脅威から〈イスラムの脅威〉を唱えるようになった。なぜアメリカは〈イスラムの脅威〉を唱えるのだろうか。

アメリカの〈イスラムの脅威〉認識は、イラン革命によって始まった。イラン革命の指導者ホメイニは、革命によって打倒された王政を支援していたアメリカに対する痛烈な非難を行い、アメリカのことを「大悪魔」と呼んだ。アメリカは、イランの王政が中東におけるアメリカの利益を最もよく守っていると考え、それへの絶対的な支援を行った。特にソ連との対抗上、イランには強力な軍事支援を行い、また兵器マニアといわれたモハンマド・レザー・パフラヴィー国王もアメリカ製の武器を大量に買いつけた。国家予算の三〇%余りとも見積もられる大量の兵器が、国民の福利とはかかわりなく購入されたのだった。

また、アメリカとイランの密接な関係によって、イランには大勢のアメリカ人軍事顧問や企業関係者たちが駐在するようになった。それとともにアメリカのカルチャーもイラン社会にもたらされ、首都テヘランなどではバーやキャバレーが建ち並ぶようになり、アメリカのポルノ映画が上映されたりした。

その一方で、地方の住民や都市の貧困層は伝統的なイスラムの価値観に基づいた生活を送り、アメリカ流の生活を送る富裕層とのギャップはきわめて大きかった。実際、王政時代を知る日本人企業家は、革命を境にしてテヘランの街の明るさが変わったと語っていた。それほど王政時代は華やかな、歓楽的な風潮があった。

アメリカと王政の関係は、ホメイニには「不正義」と感じられた。そのため、彼は「アメリカの国王」という表現を使ってアメリカと国王の親密な関係を非難し続け、「国王はアメリカのあやつり人形になっている」と訴えた。

イラン革命が成立した一九七九年一一月四日に、イランの首都テヘランでアメリカ大使館がホメイニを支持する学生たちによって占拠され、大使館員たちが人質にとられるという事件が発生する。ホメイニは、この学生たちの行動を「スパイの巣窟を暴くためのもの」と表現して支持した。この事件は、アメリカのカーター政権に有効な手立てがないこともあって長期化した。カーター大統領は「われわれは狂人の集団と交渉している」といってはばからなかった。

アメリカは一九八〇年四月に、特殊部隊による人質解放を図ったが、救出用ヘリコプターが砂漠に墜落して作戦は失敗する。結局、人質は八一年一月に解放されたものの、人質事件に対する弱腰姿勢がカーター大統領の命とりになり、彼が二期目の大統領に再選されることはなか

星条旗をもじった反米スローガン。イラン・テヘラン

った。

イラン革命とアメリカ大使館占拠事件、さらにイスラムの聖職者であるホメイニによる「アメリカは大悪魔」の訴えは、多くのアメリカ人のイスラムに対する認識を曇らせるものだったに違いない。実際、アメリカの一部のメディアや政治家たちは、ホメイニのことをリビアのカダフィやキューバのカストロと並べて〝テロリスト〟と称するようになった。一九八四年の大統領選挙の際に副大統領候補だったジョージ・ブッシュは、「ホメイニは国際的なテロリスト」と語っていたが、このようにアメリカ政府の認識にも極端で、独特なものがあった。

アメリカ大使館占拠事件発生から間もない一九七九年一一月二〇日にアメリカの中東での利益を脅かす事件が再び発生する。サウジアラビアの大モスクが、王政を〔不敬虔〕と判断するイスラム主義のグループによって占拠された。事件は、サウジアラビアの特殊部隊が大モスクに突入して犯行グループを実力で排除したが、しかしこの事件は、サウジアラビアの資源を重視するアメリカや西側先進諸国に大きな衝撃を与えるものだった。この事件の教訓もあって、アメリカはサウジアラビアで重大事件が発生すれば、その軍隊が即応できる体制をとるようになり、そのためアメリカの軍関係者たちがサウジアラビアに駐留することになった。

さらに、アメリカのイスラム世界への否定的な認識を強めたものに、一九九〇年から一九九一年の湾岸危機がある。クウェートに侵攻したイラクのサダム・フセインの行為は、イスラムとは何の関係もない。しかし、サダム・フセインは欧米への〔ジハード〕を唱え、イスラム世界の指導者である姿勢を強く訴えた。この湾岸危機の進行中に突如としてイラク国旗の中にアラビア語の〔神は偉大なり（アッラー・アクバル）〕の文字が現われた。また、フセインはムスリムの地であるパレスチナを占領し続けるイスラエルをミサイルで攻撃した。これには、イスラム世界各地から支持の声があがった。アメリカでは、フセインはイスラム世界の代弁者とも映ったに違いない。その後、アメリカではフセインを茶化す映画がつくられるようになったし、またムスリムに対するハラスメントも湾岸戦争を契機に増えた。

イスラエルがイスラムの聖地であるエルサレムを占領し続けることは、ムスリムにとって憤慨すべきこととして受け止められている。こうしたムスリムの感情を考慮して、サダム・フセインは、アラブの民族主義による非宗教的な政治を行っていたにもかかわらず、自らの行動の正当性をイスラムの教義に訴えて強調しようとした。実際、イスラム世界では、富裕なクウェート王政をイラクが侵攻したことに対して、それを支持する集会が各地で開かれた。これは、とりもなおさずイスラム世界における貧富の差の拡大がその背景になっている。

アメリカがイラクに軍事攻撃をしかけたのは、アメリカの石油資源にとって重要なサウジアラビアにイラクが攻撃する可能性が出てきたためだ。さらにジョージ・ブッシュ大統領は、イギリスのサッチャー首相が指摘した、フセインが第二のヒトラーになる可能性があるという言葉に同調した。イギリスにとって、サウジアラビアなど湾岸の資源はさほど重要ではない。しかし、イラクのクウェート侵攻を黙認したら、一九三〇年代、ヨーロッパ諸国がドイツに断固たる姿勢をとらずヒトラーの台頭を許したように、フセインの中東支配をもたらすだろうと考えた。

サッチャー首相は、冷戦後の国際社会の力量が試されていると思い、湾岸戦争でイラクとの戦闘にイギリスの軍隊を参加させた。湾岸戦争は、多国籍軍の圧倒的勝利だったが、しかし長期的にこの戦争を見た場合、対イラク戦争の急先鋒に立ったアメリカの国益になったかどうかは大いに疑問だ。

オサマ・ビン・ラディンの活動に見られるように、アメリカがイスラムの聖地があるアラビア半島に軍隊を展開させ、さらにその後も駐留を継続していることは、イスラム世界の反米感情をさらに強めることになったことは間違いない。イラクでは、湾岸戦争後、外国人記者が宿泊するホテルは決められており、そこに入る際に必ずブッシュ元大統領を踏みつけるように、その姿が入り口の床に大きく描かれている。

イスラム世界の反米感情はイラクだけにとどまるものではなかった。九三年二月にはニューヨーク世界貿易センター爆破事件が起きたが、その首謀者と見なされたエジプトの聖職者オマル・ラハマーンは、湾岸戦争はアメリカの石油のために起こされたといい切った。さらに、九五年と九六年にはサウジアラビアのアメリカ軍関係者が殺害されたり、その関連施設が爆破されたりした。また、九八年八月にはケニア、タンザニアのアメリカ大使館が爆破テロにあった。

ニューヨーク世界貿易センター爆破事件の首謀者としてアメリカが逮捕したオマル・ラハマーンは、やはり一九八〇年代のアフガニスタンで、ムスリムがソ連軍と戦うことを熱心に説いた人物だった。実際にラハマーンのふたりの息子はアフガニスタン内戦に参加している。アメリカはアフガニスタン内戦当時このラハマーンに好感をもち、彼にアメリカでの労働を認めるグリーンカード（米国内での労働の自由を保証した永住許可証）を発行してもいる。しかし、ビン・ラディンと同様に、ラハマーンもアメリカにとって「フランケンシュタイン」となった。

冷戦時代もそうだったが、アメリカ人のメンタリティーとして概して〈敵〉をつくることを好む傾向にある。冷戦時代は〈ソ連〉という敵があったが、九八年以降その〈敵〉は、明らかにビン・ラディンとなった。ビン・ラディンのために、アメリカではCIAが莫大な費用をかけて衛星監視システムをつくるなど、過剰とも思える対応を行っている。このように、ムスリムを敵視するアメリカの単純な世界観にも、イスラム世界では強い反発がある。

こうしたアメリカとイスラム世界の応酬は、両者の相互不信を増幅させていることは間違いない。イスラム世界で、アメリカについてその印象を尋ねると、「アメリカの傲慢なところが嫌い」という声が返ってくる場合が多い。反対にアメリカ人にイスラムについて聞くと、「イスラムには好戦的なところがある」という発言にしばしば接する。アメリカのクリントン政権の国家安全保障会議でテロ対策に関わっていたスティーブ・サイモン氏は、「イスラムの教義の中にテロを起こす理由があるのではないか」と語っていた。

確かに〈ジハード〉を極端に解釈すれば、テロを起こすムスリムが現われる可能性がある。しかし、イスラム世界を訪ねると、暴力を使うムスリムは本当のムスリムではないという声が圧倒的に多いことに容易に気づく。カトリックのIRA（アイルランド共和国軍）やユダヤ教徒の右翼もテロを起こしてきた。イスラムだけがテロを犯すという論理はやはり正確ではない。あくまで宗教は、民族を構成するひとつの要素に過ぎない。

ムスリムの側の反米感情は第二次世界大戦後のアメリカの中東政策によって生まれた。それ以前は、イスラム世界にはアメリカに対する否定的な感情はなかった。むしろイスラム世界で反発があったのは、イギリスやフランスという実際に植民地支配を行った国々に対してだった。アメリカは、これらの植民地主義勢力を牽制する国としてムスリムからは歓迎され、好感をもって見られていた。

アメリカは第二次世界大戦後に、グローバル・ポリシーと呼ばれるアメリカの意図する世界秩序を追求しようとした。中東イスラム世界がソ連の影響下に入ることは、アメリカとしては絶対に避けたかった。たとえば、イランでは、一九五〇年代に民族主義者のモハンマド・モサデク首相がイギリス所有の石油産業を国有化したが、その後モサデク政権下でイランの共産党が勢力を伸長させた。そのため、アメリカのアイゼンハワー政権は、モサデク政権の共産党に対する寛容な姿勢に強い危惧を抱き、ＣＩＡが中心となった軍部のクーデターでモサデク政権を転覆させた。この事件がイスラム世界のアメリカに対する反感の端緒となった。

冷戦後の世界でアメリカは、世界各地の政府が不安定になることよりも安定することを望んでいる。国際社会の現存する秩序が崩壊することをまったく望んでいない。そのため、アメリカが、イスラム諸国の政治の不安定化をもたらしかねないイスラム政治運動に極端に神経を尖らすようになったことは間違いない。実際、アメリカはイランやスーダンが世界各地のイスラム政治運動を支援していることを強調しているが、〈イスラムの脅威〉を強調するアメリカの姿勢にもムスリムの側には強い反発があることは間違いない。

アメリカが〈イスラムの脅威〉を説く背景にはイラン革命での体験や、アメリカが急進的なムスリム集団のテロの対象になっているなど複数のファクターが重なり合っている。アメリカは、イスラムをひとつのものとしてとらえがちで、ムスリムの過激な集団のテロをとらえて、〈イスラムの脅威〉を強調している。アメリカがいかに〈イスラムの脅威〉を重大にとらえているかは、アメリカ国内でムスリムの急進派の活動に厳しい監視がある一方で、ユダヤやヒンドゥーの過激主義に対してはそのような姿勢が微塵もないことにも表われている。

〈衝突〉の背景——ユダヤ・ファクター

さらに、アメリカがイスラム世界に厳しい姿勢をとるのは、アメリカ国内の要因も大きく作用している。アメリカのユダヤ社会は、イスラエル国家を擁護するために、ロビー（圧力団体）を通じて政府や議会にアメリカがイスラエルに有利な政策をとるよう働きかけを行っている。ユダヤ・ロビーの豊富な資金力もあって、アメリカの中東政策はイスラエル有利に展開せざるをえない。そのユダヤ・ロビーの中で最も強力なのが、ＡＩＰＡＣ（アメリカ・イスラエル公共問題委員会）だ。

湾岸戦争の勝利でブッシュ大統領は、戦争直後九〇％以上の支持率を得た。しかし、その彼が再選されずクリントン政権が誕生したのは、ひとつにはユダヤ・ファクターが作用している。ブッシュ大統領は、湾岸戦争でイラクのサダム・フセインが、クウェートからのイラク軍の撤退を、イスラエルのパレスチナ占領地からの撤退と引き換えに実現するという条件を出したり、イスラエルにミサイル攻撃をしかけたのを見て、中東イスラム世界の安定が欠かせないと考えるようになった。

そのため、彼は湾岸戦争終了後の一九九一年一〇月にマドリードで中東和平会議を開き、イスラエルを出席させたり、さらにイスラエルに圧力をかけるために一〇〇億ドルの融資保証を凍結したりした。この融資保証は、イスラエルがソ連などからのユダヤ人移民受け入れのための住宅を建設するために使われるはずだった。

しかし、こうしたブッシュ政権の姿勢は、アメリカ国内のユダヤ社会の憤りを招くことになる。ＡＩＰＡＣのスタッフは、ブッシュ大統領はイスラエルに圧力をかける傾向があったと語っていた。ブッシュ政権に快くないものを感じたアメリカのユダヤ社会は、一九九二年の大統領選挙でクリントン候補を強力に支持することになる。実際、この選挙でクリントン候補の選挙資金の六〇％はユダヤ社会から拠出されたという推測があるほどだ。こうしたユダヤ社会の動向に応えて、クリントン候補も「エルサレムはイスラエルの首都である」などと発言していた。

アメリカのユダヤ人たちは、ヨーロッパにおけるユダヤ人迫害を逃れて東欧やドイツなど中欧から移住してきた階層だ。彼らは、勤勉で、また教育熱心だったため、アメリカ社会に次第に溶けこんでいった。アメリカ社会を支配していたのは、WASPと呼ばれるアングロ・サクソン系のプロテスタントたちだったが、ユダヤ人たちはサービス業などから次第に根を張るようになっていった。ハリウッドの映画産業もユダヤ人たちによって起こされた。アカデミー賞で、『シンドラーのリスト』などユダヤ人を描いた作品が受賞するケースが多いのも、映画産業におけるユダヤ社会の影響力の大きさを表わすものだろう。

アメリカに留学した時、私が最初に下宿した先がユダヤ人の老婦人の家だった。それまでユダヤ人に接する機会がなく、シェークスピアの『ベニスの商人』などからユダヤ人には倹約家のイメージがあったが、その老婦人もその通りの人だった。「大学には車で行くな、バスで行け、ガソリンがもったいない」「お湯を沸かす時には、やかんには水を少なめに入れろ」など、さすがと思わせるものがあった。老婦人にはふたりの息子さんがいたが、兄は弁護士、弟はビジネスマンで、ふたりとも高学歴だった。教育に力を入れるユダヤ人の伝統を垣間見る思いだった。

その兄さんの家庭に招かれたことがあった。イランの歴史を勉強していると、奥さんは、「イランのホメイニをどう思うか」と尋ねた。明らかに、彼女は、ホメイニに良い印象をもっていない様子だった。「イスラエルの抹殺」を唱え、なおかつ「アメリカは大悪魔」という発言を繰り返し、アメリカ大使館の占拠を支持するホメイニは、ユダヤ系アメリカ人から見れば、それこそ悪魔のような存在だったかもしれない。

ユダヤ系アメリカ人は、「ニューヨーク・タイムズ」や「ワシントン・ポスト」などマスコミ界にも多く、イスラエルに有利な世論形成を行っている。やはりアメリカ留学中に、レーガン大統領がナチス親衛隊の墓を訪問したことがあったが、その時のメディアの大統領批判にはすさまじいものがあった。

ボルチモアなどでは仕立て屋に従事するユダヤ人が多く、アメリカ社会の周辺部分から生活を開始したユダヤ系アメリカ人たちだったが、次第にその中枢に進出するようになった。ニクソン政権の国務長官だったヘンリー・キッシンジャーはその先駆的存在だったが、クリントン政権では、やはり国務長官のオルブライト、国防長官のコーエン、さらに財務長官のルービンなど政府の要職を数多く務めるようになった。また、二〇〇〇年の大統領選挙で苦戦が伝えられた民主党のゴア候補は、ユダヤ票を獲得するためや清廉なイメージを訴えるために、ユダヤ系のリーバーマン上院議員を副大統領候補に指名した。リーバーマン上院議員は、クリントン大統領の不倫を激しく糾弾した人物だった。

アメリカのユダヤ社会は、政府や議会に圧力をかけてイスラエルに有利な政策をとらせるよう働きかけている。たとえば、AIPACの機関紙「近東レポート」には、対イスラエル経済援助法案に賛成票を投じた議員、また反対を行った議員の名前、さらに棄権に回った議員の名前が記載されるが、こうしたAIPACの活動は議員たちにとって圧力になっていることは間違いない。AIPACは、イスラエルに好意的でない研究者や大学教員の名前を公表したことがあったが、この措置について「北米中東学会」が抗議したことがあった。また、ワシントンで暮らす高名なイラン研究者は、イスラエルに批判的なことを書いたために、アメリカの大学に就職することを妨害されていると嘆いていた。

以前、アメリカのアーリントンから出されている雑誌に対イラン制裁法の原案を練ったのはAIPACだと書いたら、従来送られていた「近東レポート」はさっぱり私の手元に届かなくなってしまった。実際、AIPACの所長にインタビューした内容を雑誌の論文の中に書いたのだが、AIPACの厳しい監視の目を知る思いだった。

アメリカの対イスラム世界政策は国内的要因によって決定されるために、アメリカは一貫した政策がとれないでいる。イランは、日本の石油購入先の国としてその輸入量は第三位であるほどエネルギー資源が豊富だ。しかし、アメリカは「イスラエルの解体」を唱えるイランを封じ込めたいがため、イランの石油産業に年間二〇〇〇万ドル以上投資する外国企業に対してア

カスピ海地域からの主要石油パイプライン構想

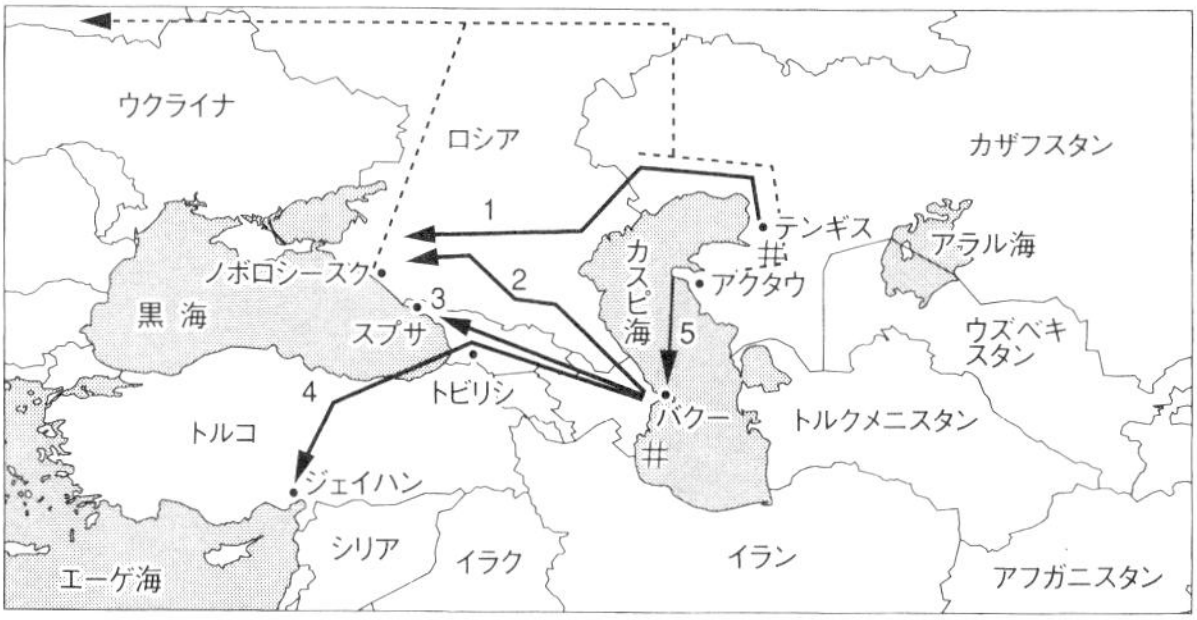

石油パイプライン構想　主要な既存パイプライン

1. OPC／テンギス～ノボロシースク
2. AIOCロシア・ルート／バクー～ノボロシースク
3. AIOCグルジア・ルート／バクー～スプサ
4. アゼルバイジャン～グルジア～トルコ（BTC）ルート／バクー～トビリシ～ジェイハン
5. カザフスタン～カスピ海底～アゼルバイジャン・ルート／アクタウ～バクー

4＋5. ATBC・ルート／アクタウ～バクー～トビリシ～ジェイハン

メリカとの取り引きを禁止するなど、制裁を課すようになった。アメリカの国内法を外国企業に対して課すことについては、ヨーロッパ諸国や日本にも反発があり、さらにイラン政府内部の急進派の反米主張をいっそう強めたことは間違いない。

映画『007』シリーズでもストーリーのモチーフとして描かれたように、近年注目されるようになったカスピ海のガスや石油など天然資源についても、これらのエネルギーがイランを経由して他の諸国に輸出されることをアメリカはできるだけ避けようとしている。そのためアメリカは、パイプラインもアゼルバイジャンのバクーからグルジアを通ってさらにトルコ南東部の地中海に面したジェイハンに至るルートを計画するようになった。このルートは建設コストが高く、かつトルコ南東部ではクルド人の反政府組織のゲリラ活動が見られる。

それに対して、イランですでに稼動しているパイプラインのネットワークを使えば、建設費用も低く抑えられ、なおかつカスピ海資源はペルシア湾に容易に抜けることができる。イランはカスピ海とインド洋というふたつの海洋に囲まれた国家だが、カスピ海からイランを通過してインド洋に抜けるパイプラインが建設されれば、日本や他のアジア諸国にもカスピ海資源を輸出できる。増大するアジアの資源需要を考えれば、このルートはカスピ海諸国にとっても、またアジア諸国にとっても利益のあるものとなる。

しかし、イランをテロ支援国家と考えるアメリカは、このルートの実現を阻みたい意向だ。そのため、アメリカは、トルクメニスタンのガスがイランを経由しないように、内戦が続くアフガニスタンを通過してパキスタンからインド洋に抜けるルートを考えるようになった。第五章でも述べたように、アメリカはタリバーンの設立をバックアップし、タリバーンによってアフガニスタンの安定を考え、そこにパイプラインを敷こうとした。

しかし、このタリバーンは、アメリカのいいなりになる組織ではなかった。タリバーンは、アメリカが「No.1の敵」と考えるビン・ラディンをかくまい、アメリカに引き渡そうとしない。また、タリバーンで安定すると考えたアフガニスタンも内戦がいっこうに終結する様子がなく、アフガニスタンは世界で最大の麻薬の生産地になったり、さらに世界各地のイスラム急進派の活動舞台となっている。

イスラム世界の歴史意識は根強く、一種独特のものがある。それはいったん曇ると容易に払拭されない。第一章で述べたアルメニア人のトルコに対する民族的怨念などはその最たる例だが、イスラム世界の対米観は第二次世界大戦後いっきに曇ってしまった。あるムスリムの女性は、天皇の戦争責任問題をとらえて、日本人には、中国人や韓国人とは違って過去のことをすぐ許す傾向があるみたいだけど、イスラム世界の歴史認識は日本と違って執拗だと語っていた。イスラム世界の対米観が曇った背景には、これまで見てきたように、ユダヤ社会のロビー活動に見られるアメリカの国内的要因によるイスラエルへのテコ入れや、イラン革命、湾岸戦争などがある。確かに湾岸戦争はアメリカをはじめとする多国籍軍の圧倒的勝利に終わったが、その後アメリカ人やアメリカ関連の施設が急進的なイスラム組織のテロの対象となったように、長期的に見た場合はアメリカの国益になったかどうかは疑問だ。

九八年八月にケニア、タンザニアのアメリカ大使館が爆破された時、クリントン大統領はテロに対する憎悪を口にしたが、アメリカがテロの対象になっている背景については口にすることがなかった。アメリカに求められているのは、急進的なイスラム組織のテロの対象になっている原因についての自省的な姿勢だろう。イスラエルに対する過度な支援、苛酷とも思える対イラク制裁、またイスラム世界に対する介入政策などを見なおしていく必要がある。それがない限りアメリカが急進的イスラム勢力のテロの対象となり続ける可能性は高いだろう。

イスラムに対する偏見をいかに乗り越えるか

勤務する大学の学生たちが英語研修を行っているイギリスの大学を訪ねたら、そこにはサウジアラビアなどイスラム諸国からも英語を学ぶ学生が訪問してくるということだった。この英語研修プログラムには、課外活動としてイギリスのパブを訪問する機会がある。しかし、イスラムの戒律で飲酒を禁じられているサウジアラビアなどイスラム諸国の学生たちは参加しないそうだ。また、寮でもムスリムの学生の部屋からは礼拝の声が聞こえてくるということだった。それを聞いた女子学生が「こわい……」といったので、「何でこわいの」といったことがある。どうも日本人には一般にイスラムに対して「食わず嫌い」なところがあり、女性がベールをかぶる姿などをとらえて「薄気味悪い」という印象があるのではないか。

たしかに、地理的にイスラム世界に接していないし、日本ではイスラムの宣教活動が目立って行われてこなかった。さらに、日本で生活するムスリムの数も、欧米に比べるとそれほど多くない、などの理由があるからだろう。

日本のイスラム世界との接触は明治時代以降で、戦前イスラム世界との交流を説いたのは、日本の大東亜共栄圏の政策を鼓舞し、インドネシアなどの資源確保の立場からイスラム世界と

子供の笑顔は世界共通。イスラムと共生する時代だ。アルジェ

の交流を強調した国家主義者たちだった。

　多くの日本人の注意をイスラム世界に向けたのは、一九七三年の第一次石油危機だった。実際、アラブ諸国は、日本がアラブ諸国の半分にしか大使館を置いていないことをとらえて、日本は〔非友好的〕と非難し、日本に対する石油の輸出制限を宣告した。あわてた日本の田中角栄政権は、サウジアラビアに三木武夫特使を派遣し、イスラエルの占領政権を非難してアラブ諸国から〔友好国〕の認定を受けたことがある。いわゆる〔油乞い外交〕だった。この田中政権の措置がアメリカのユダヤ社会の逆鱗に触れ、そのため田中首相のロッキード・スキャンダルはアメリカによって暴露されたという説もあるほどだ。

　実際、この第一次石油危機は、日本社会にパニックを巻き起こした。スーパーマーケットからはトイレットペーパー、洗剤など生活必需品が消え、主婦たちが店頭に殺到する姿が印象的だった。日本に品不足をもたらしたイスラム世界に注意を向ける事件だった。

さらに、一九七九年に起こったイラン革命は、イスラムの聖職者であるホメイニが指導し、かつ革命によって成立したイラン・イスラム共和国の政治・社会の形態がイスラムをモデルにするものだったため、日本をはじめとする国際社会にイスラムへの関心を抱かせるものだったことは間違いない。実際、黒いヒジャーブをまとった女性たちがデモを繰り広げる姿や、聖職者のホメイニが亡命先のフランスから帰国した時のイラン人の熱狂ぶりは、イスラム・パワーを強烈に印象づけた。また、第一次石油危機と同様にイラン革命によって、石油価格が上がったことは、イスラムと石油を日本人に再び関連づけさせるものだった。

それでもなお日本人全般には、イラン革命とイスラムの関連についてよく分からなかったのではないか。九〇年の湾岸危機が進行中に、イラクがクウェート侵攻を起こした背景について、ある地方自治体に呼ばれて講演したことがある。講演の内容は一貫して湾岸危機に関してであったにもかかわらず、講演後「どうしてイラン革命は起こったの」という質問があった。思わずガクッとくる思いだったが、それほどイラン革命が成立した背景には日本人にはよく分からないものがあった。

日本で生活するムスリムの存在が最も目立ったのは、九〇年代になって大挙して到来したイラン人だったろう。イラン人は、本国での生活費不足を補うためにやってきたが、一部のイラン人が偽造テレカや麻薬の販売に手を染めたことは日本人にムスリムに対する偏見をもたらすものだったかもしれない。しかし、犯罪を起こすムスリムは、イスラム世界でもごく例外的な存在だ。実際、イランの街を歩いて、身の危険を感ずるようなことはほとんどない。

日本にやって来たイラン人のように、二〇世紀後半には、国際的な富の偏在を背景に、イスラム世界から欧米や日本など先進諸国へのムスリムの大量移住があり、イギリスやドイツ、北欧では経済支援、表現の自由、ムスリム独自の組織や教育が認められたものの、受け入れられた国々での差別や偏見、また経済的困難に接して、特に欧米では急進的なイスラム組織に吸収されるようになったケースもあった。実際、ドイツでは特に統一後の経済的困難を背景にして、ネオナチによるムスリムなど外国人に対する暴力的襲撃が後を絶たない。アメリカなどでは、ムスリムの人権に関する支援組織が活動しているが、日本ではまだそのような組織はない。それは、アメリカではムスリムが数の上でユダヤ教徒を抜いて宗教人口の上で第二位になるほど、大きなコミュニティに成長しているということもある。日本ではムスリムはまだごくマイノリティだ。

グローバル化がいっそう進行し、また日本で経済活動を求めるムスリムが増えれば、日本でもまたムスリムの姿を多く見かけるようになるだろう。さらに、ムスリムとの接触の機会が増すにつれて、日本人と結婚するムスリムの数も増えている。さらに、清廉なイスラムの教義に魅せられて改宗する例も日本人の間で増加する傾向にある。二〇〇〇年六月には代々木上原で東京モスクがオープンし、日本におけるムスリムの宗教活動の中心になろうとしている。日本で暮らすムスリムに差別や偏見をもってはならないことはいうまでもなく、ムスリムの宗教的慣行に対する理解を高めることがいよいよ求められている。

九〇年代後半になって立て続けに起こった、エジプト・ルクソールでの観光客襲撃事件、ケニア、タンザニアの米国大使館爆破事件、キルギスでの日本人拉致事件は、日本人にテロとイスラムを関連させることになったことは間違いない。多くの日本人のイスラムに対する関心を高めたのはこれらの事件を契機にするものだ。

これらの事件は確かに衝撃であったが、イスラム世界ではほとんど支持を得られていない。九九年に日本人を誘拐した武装集団があったことをとらえて「イスラムは危険」などというのは短絡すぎる。たとえば、ウズベキスタンなど中央アジア諸国で武装グループの活動があるのは、これら諸国が独立後の発展に成功せず、なおかつ人々の不満を政府が強引に封じているからだ。特に中央アジア諸国では、青年層に対する職の供給が不十分で、職のない青年たちが何もしないで街頭に立っている姿を多く見かける。

中央アジア諸国が経済的に発展しているかのような印象を与える世界銀行やＩＭＦの経済指標はあてにならず、これら諸国は一様に経済的な困難の下に置かれている（次頁の「イスラム諸国会議機構加盟国の国勢表」を参照）。ちなみに日本の一人当たりＧＮＰは三九、六四〇ドル（一九九六年）である。このような社会・経済発展のゆがみや、自由にものをいえない政治的特質が、イスラムの外皮をまとった急進的な反政府運動を生むことになった。テロは、イスラムとは関係のない政治や社会の要因から発生していることをよく知っておかなければならない。

イスラム世界の内なるジハード

アメリカのワシントンでアメリカの対イスラム観をイラク研究の権威であるフィビー・マー氏に尋ねたら、「ハンチントンの〝文明の衝突〟論はここでも大きな支持を得ていないよ」ということだった。しかし、「アメリカ人の対イスラム観は実に多様で、本当に大きな問題だ」と語っていた。

九八年八月のスーダン、アフガニスタン爆撃の後、クリントン大統領は、それがイスラム世界との戦争の始まりではないことを説いたが、しかしオルブライト国務長官は、それがアメリカに対する宣戦布告をしたテロリストに対する長い戦争の始まりになると語った。多くのムス

イスラム諸国会議機構加盟国の国勢表

国名	面積［1000km²］	人口［1000人］	GNP［100万ドル］	一人当たりGNP［ドル］	国名	面積［1000km²］	人口［1000人］	GNP［100万ドル］	一人当たりGNP［ドル］
アルジェリア	2,381.7	29,318	43,927	1,500	マレーシア	328.6	21,667	98,195	4,530
ベナン	110.6	5,796	2,227	380	モルジブ	0.3	256	301	1,180
ブルキナファソ	273.6	10,474	2,579	250	マリ	1,220.2	10,290	2,656	260
カメルーン	465.4	13,936	8,610	620	モーリタニア	1,025.2	2,461	1,093	440
チャド	1,259.2	7,153	1,629	230	モロッコ	446.3	27,310	34,380	1,260
コモロ	2.2	518	209	400	モザンビーク	784.1	16,630	2,405	140
ジブチ	23.2	636	—	c	ニジェール	1,266.7	9,799	1,962	200
エジプト	995.5	60,348	72,164	1,200	ナイジェリア	910.8	117,897	33,393	280
ガボン	257.7	1,153	4,752	4,120	オマーン	212.5	2,256	—	b
ガンビア	10.0	1,181	407	340	パキスタン	770.9	128,457	64,638	500
ギニア	245.7	6,920	3,830	550	カタール	11.0	721	—	a
ギニアビサウ	28.1	1,137	264	230	サウジアラビア	2,149.7	20,066	143,430	7,150
リビア	1,759.5	5,201	—	b	セネガル	192.5	8,790	4,777	540
アゼルバイジャン	86.6	7,600	3,886	510	シエラレオネ	71.6	4,748	762	160
アフガニスタン	652.1	24,965	—	d	ソマリア	627.3	8,775	—	d
アルバニア	27.4	3,324	2,540	760	スーダン	2,376.0	27,737	7,917	290
バーレーン	0.7	620	—	b	スリナム	156.0	412	544	1,320
バングラデシュ	130.2	123,633	44,090	360	シリア	183.8	14,895	16,643	1,120
ブルネイ	5.3	308	—	a	タジキスタン	140.6	6,017	2,010	330
インドネシア	1,811.6	200,390	221,533	1,110	トーゴ	54.4	4,345	1,485	340
イラン	1,622.0	60,929	108,614	1,780	チュニジア	155.4	9,215	19,433	2,110
イラク	437.4	21,847	—	c	トルコ	769.6	63,745	199,307	3,130
ヨルダン	88.9	4,437	6,755	1,520	トルクメニスタン	469.9	4,658	2,987	640
カザフスタン	2,670.7	15,801	21,317	1,350	ウガンダ	199.7	20,317	6,608	330
クウェート	17.8	1,809	—	a	アラブ首長国連邦	83.6	2,580	—	a
キルギス	191.8	4,635	2,211	480	ウズベキスタン	414.2	23,667	24,236	1,020
レバノン	10.2	4,146	13,900	3,350	イエメン	528.0	16,072	4,405	270

a=9,656以上／b=3,126〜9,655／c=786〜3,125／d=785以下

資料：宮田律著『イスラムでニュースを読む』（自由国民社、2000年）

リムには、この発言がイスラム世界に向けられて発せられたものと感じ取られたことだろう。
また、湾岸戦争後のイラクに対するアメリカとイギリスの厳格な姿勢は、イラクへの同情をイスラム世界で強めるものであることは間違いない。アメリカとイギリスが推進する国連のイラクに対する経済制裁によって、イラクでは食糧や医薬品が不足し、栄養失調から死亡する乳幼児が増え、また疾病にも有効に対処できない。さらに、パレスチナ問題の展望がイスラエルのネタニヤフ政権の強硬な姿勢によって容易に切り開けなかったことも、欧米に対する反発を強めるものだったことは明らかだ。

ネタニヤフ首相は、特にアメリカの議会との関係を深め、和平進展に対するアメリカの圧力を減じようとした。アメリカ議会は、九七〇〇万ドルの「イラク解放法」を通過させる一方で、一九九三年に成立した「暫定自治に関する原則宣言」が進展することに明らかに消極的になった。この「イラク解放法」は、イラクをサダム・フセインの独裁体制から「解放」することを目指したものだが、この法律が成立した結果、サダム・フセインの反米主張をいっそう煽るようになったのは皮肉なことだった。こうした議会の姿勢は、アメリカがイスラム世界とイスラエルに対して「ふたつの異なる基準」をもっていることを強く意識させるものだ。

イスラム世界の欧米に対する反発は、さまざまな歴史的・政治的ファクターが重なってもたらされている。アルジェリアやエジプトで見られたヨーロッパ諸国のイスラム世界に対する植民地支配、イラクやレバノン、東チモール、またスーダンなどで見られたイスラム国家の分割、パレスチナ、カシミール、新疆でのムスリムの抑圧に対する無関心、文化的退廃、イスラエルや独裁体制への支援、またイスラムに対する偏見を煽る風潮などは、ムスリムの欧米に対する反発を煽ってきた。

また、欧米は、人権問題を口にするが、欧米の唱える〔人権〕は政治の手段として使われ、偽善的な響きをもってムスリムには聞こえているに違いない。欧米は、親欧米国家の人権抑圧を非難することはせずに、自らと敵対する国々の人権問題を声高に批判してきた。イスラム世界ではエジプト、アルジェリアなどで政府による人権抑圧があるが、これらの国の問題に欧米諸国は沈黙してきた。特にアメリカのクリントン政権の二期目には、オルブライト国務長官が〔人権問題〕を強調してイラクに対する締めつけを強化したが、〔人権〕を口実にするイラクに対する厳格な対応もまたイスラム世界では根強い反発があることは確かだ。アメリカが提唱する〔人権〕のために、一般のイラク人はさらに深刻な社会・経済的困難の下に置かれるようになった。

イスラムがなぜ多くの人々の支持を得るようになったのだろうか。イスラム世界では欧米モデルの近代化に成功しなかった。欧米モデルの近代化は、途方もない貧富の格差をもたらしたり、人々から伝統的なアイデンティティーを奪うことになった。人々は欧米モデルの近代化に代わる社会・経済的方途を求めるようになった。それがイスラムだ。近代化の失敗、あるいは近代化によってもたらされた充足されない思いによって、人々はイスラムという宗教に基づいて自らの人生の意義を考えるようになった。いわば、反近代主義の中心にイスラムは位置するようになった。それは、イスラムによる政治や社会の改革運動であるイスラム政治運動が、近代化が実行された都市において強力に推進されていることからも分かるだろう。

イスラムの復興現象は、実に多様にある。イスラムによって「世直し」を考える運動は、インドネシアのワヒド大統領のように議会制民主主義の枠の中で政権を掌握したケースや、レバノンのヒズボラのように、国会に議員を送る一方で、イスラエルとの軍事闘争に従事している場合もある。イスラムのダワの活動は本来宣教活動に従事するものだったが、イスラム世界の社会的矛盾を背景に教育や福祉活動を重視するようになった。現代のイスラムの復興運動を一様にとらえることはとうていできない。それぞれの運動や現象は、地域や国によって特色をもっていることは確かだ。イスラムに社会や政治の改革の原理を求める運動をすべて「テロ」「物騒な宗教」というプリズムでもって見ることはできない。

ムスリムは、イスラムで自らが現在直面する諸問題を解決しようとしている。イスラム世界では、依然として権威主義体制や独裁体制が多いが、ムスリムはイスラムの伝統的な価値観である「協議（シューラ）」や「合意（イジュマー）」によって民主主義の構築を考えるようになった。イスラム的な民主主義に関する共通の理解は、〈神の主権〉をこの世で実現することだ。〈神の主権〉とは、〈神の前におけるムスリムの平等〉や〈社会正義〉を実際の政治・社会システムの中でつくり出すことにある。そのための責任を現世の為政者たちは負うことになるが、その責任を果たせない為政者は〈不敬虔〉とムスリムに判断される。それに対して欧米を中心とする民主主義は、神への尊敬を忘れ、利己主義や腐敗・堕落をもたらしたとイスラム主義者たちは考えている。

現在、民主主義を求めているのは、〈共和制〉を建前とする政府や王政よりも、イスラム主義者たちのほうだ。イスラム運動は、教育や福祉を草の根レベルで人々に施すことによって、民意とつながってきた。このように民意を吸収するイスラム運動の成長は、イスラム諸国政府の大きな脅威となっていることは間違いない。エジプトでムスリム同胞団の事務所を訪ねたら、その事務所を紹介してくれたムスリム同胞団系のジャーナリストに対して、エジプトの治安当局から〈日本からの訪問者〉の意図について尋問があったということを聞かされた。このように、ともすると人権を抑圧する政府に対して、人々の福利を考慮するイスラム政治運動に支持が集まるのは当然かもしれない。

経済活動の分野でもムスリムたちは、イスラムの原理をできるだけ取り入れようとしている。第一章でも述べたが、イスラムでは利子の取り立てを禁じている。利子は、貧富の格差をさらに拡大するから、という考えがその背景にあるが、そのために現在ではイスラム銀行が設立されるようになり、それが敬虔なムスリムから預金を獲得するようになっている。また、銀行だけではなく、イスラム企業の活動も見られるようになった。これらの企業は、利子の取り立てを行わなかったり、ビジネスマンたちはイスラムの伝統的な衣服で活動するようになっている。こうしたイスラム企業も、イスラム政治運動など現代のさまざまなイスラムの活動に経済的支援を与えている。

また、イスラム世界でイスラム復興の動きが顕著になって、ムスリムは一般にイスラム世界で何が起きているかに強い関心をもつようになった。ボスニア、コソボなどの民族紛争、パキスタンの核など、欧米先進諸国がこれらの問題にいかに対応するか、ムスリムは注意深く見守るようになっている。実際、イギリスでは、チェチェンやカシミールのムスリムの闘争を支援して、イギリス在住のムスリムが資金援助を募ったことがあった。また、パレスチナ問題の解決においてイスラムの聖地であるエルサレムがいかに扱われていくか、イスラム世界には強い関心があることは間違いない。無用な摩擦を避けるためにも、各国政府のイスラム世界に対する慎重なつきあいがますます求められている。

イスラムの復興現象は着実に成長し、国際社会がこの現象とのつきあいを回避することは、二一世紀にはできなくなっている。アメリカ政府は、イスラム諸国政府の立場を考慮して、ムスリム同胞団などイスラム組織との対話を行っていない。しかし、イスラム政治運動を〔脅威〕〔暴力主義〕などと形容している限りは、この運動の本質は見えてこない。国際社会には、イスラム政治運動の主張を理解することがいよいよ必要になっている。イスラム世界に横たわるさまざまな矛盾と、イスラムに本来備わっている改革的な要素にこそ注意を向けるべきだろう。

イスラムの教えはムスリムにとって大きな生活の傘で、ムスリムに生活のあらゆる領域において指針を与えている。それは人々に伝統的な価値観を維持させるという点で保守的でもあり、また社会の純化を求めさせるという点で革新的でもある。

イスラムは、ムスリムの歴史・文化の主要ファクターとして機能してきた。イスラム世界の現実が、イスラムの理想とはかけ離れた場合、ムスリムはイスラムの純化を求めて繰り返し繰り返し脱皮を図っていくだろう。他の宗教世界に生きる者たちは、このイスラムのメカニズムを知らなくてはならない。

〈主要参考文献〉

注：（＊）はイスラム暦の年代

海外書籍・論文・新聞

Abbasi, Muhammad, *Tarikh-i Inqilab-i Iran*, Tihran, 1358(＊).

Anonymous, *Qiyam-i Khunin-i Panzdah-i Khurdad*, Tihran, n.d.

Atabaki, Touraj and O'kane, John, *Post-Soviet Central Asia*, London and New York, 1998.

Ayubi, Nazih, *Political Islam: Religion and Politics in the Arab World*, London and New York, 1991.

Bahnud, Mas'ūd, *Dowlatha-yi Iran az Sayyid Zia ta Bakhtiyar*, Tihran, 1366(＊).

Bulliet, Richard W., *Islam: the View from the Edge*, New York, 1994.

Bodansky, Yossef, *Bin Laden: The Man Who Declared War on America*, Rocklin, 1999.

Cole, Juan R.I. and Keddie, Nikki R. (eds.), *Shi'ism and Social Protest*, New Haven and London, 1986.

Cooley, John K., *Unholy Wars, Afghanistan, America and International Terrorism*, London, 1999.

Daftar-i Intisharat-i Islami, *Pishtazan-i Shahadat-i dar Inqilab-i Sevvum*, Tihran, 1360(＊).

Esman, M.J. and Rabinovich, I. (eds.), *Ethnicity, Pluralism, and the State in the Middle East*, Ithaca, 1988.

Esposito, John L., *Islam and Politics*, 3rd ed., Syracuse, N.Y., 1991.

Esposito, John L., *The Islamic Threat: Myth or Reality?*, Oxford, 1992.

Esposito, John L. (ed.), *The Oxford Encyclopedia of the Modern Islamic World*, 4 volumes, New York and Oxford, 1995.

Esposito, John L. and Voll, John O., *Islam and Democracy*, New York and Oxford, 1996.

Fuller, Graham E. and Lesser, Ian O., *A Sense of Siege: The Geopolitics of Islam and the West*, Boulder, San Francisco and Oxford, 1995.

Halliday, Fred, *Islam & the Myth of Confrontation: Religion and*

Politics in the Middle East, London and New York, 1995.
Hamas, *Mithaq Harakat al-Muqawama al-Islamiyya Filastin :The Covenant of the Islamic Resistance Movement*, n.p., 1988.
Hippler, Jochen and Lueg, Andrea (eds.), *The Next Threat: Western Perceptions of Islam*, London and Boulder, 1995.
Keddie, Nikki R., (ed.), *Religion and Politics in Iran: Shi'ism from Quietism to Revolution*, New Haven and London, 1983.
Khumeini, Ruhullah, *Velayat-i Faqih: Hukumat-i Islami*, Tihran, 1357(*).
McLaurin, R.D.(ed.), *The Political Role of Minority Groups in the Middle East*, New York, 1979.
Madani, Sayyid Jalal al-Din, *Tarikh-i Siyasi-yi Mu'asir-i Iran*, Jild-i Duvumm, Tihran, 1362(*).
Marr, Phebe and Lewis, William (eds.), *Riding the Tiger: The Middle East Challenge After the Cold War*, Boulder, San Francisco and Oxford, 1993.
Marty, E. Martin and Appleby, Scott R. (eds.), *Fundamentalism and Society: Reclaiming the Sciences, the Family, and Education*, Chicago and London, 1993.
Nicosia, Francis R., *The Third Reich and the Palestine Question*, London, 1985.
Piscatori, James P. (ed.), *Islam in the Political Process*, Cambridge, 1983.
Piscatori, James P., *Islam in a World of Nation-States*, Cambridge, 1986.
Rashid, Ahmed, *Taliban: Islam, Oil and the New Great Game in Central Asia*, London and New York, 2000.
Reich, Bernard, *Securing the Covenant: United States-Israel Relations After the Cold War*, Westport, CT, 1995.
Ruedy, John (ed.), *Islamism and Secularism in North Africa*, Houndmills and London, 1994.
Sadaqat-Kish, Jamshid (compl.), *Ravabat-i Iran va Amrika*, Tihran, 1357(*).
Sadiqi, Kalim (ed.), *Nihzatha-yi Islami va Inqilab-i Islami-yi Iran*, Tihran, 1375(*).
Salam, Ghassan, *Democracy without Democrats?: The Renewal of*

Politics in the Muslim World, London and New York, 1994.
Sayyid, Khalid Bin, *Western Dominance and Political Islam*, Albany, N.Y., 1995.
Shaikh, Farzana, *Islam & Islamic Groups: A Worldwide reference Guide*, Harlow, 1992.
Shaqaqi, Fathi, *Jihad-i Islami :tarjome-yi Khurushahi, Sayyidhadi*, Tihran, 1375(*).
Vertovec, Steven and Peach, Ceri, *Islam in Europe: The Politics of Religion and Community*, Houndmills and London, 1997.
Roy, Oliver, "Islam, Iran and the New Terrorism", *Survival*, 42/2 (Summer 2000).
Rubin, Barnett R., "Afghanistan under the Taliban", *Current History*, January 1999.
Rumer, Boris, "In Search of Stability: Economic Crisis and Political Unity", *Harvard International Review*, 12/1 (Winter/Spring 2000).
Tohid, O., "Inside the Madrassah", *The Herald*, December 1997.
Yusufzai, Rahimullah, "Bin Laden's 'exploits'", *NEWS*, October 13.
Foreign Broadcast Information Service, *Daily Reports-NES* (FBIS-NES).
The Jerusalem Post
Kayhan

日本語文献

小田英郎、富田広士編『中東・アフリカ現代政治』勁草書房　1993年

鏡武『中東紛争——その百年の相克』有斐閣選書　2001年

梶田孝道『ヨーロッパとイスラム——共存と相克のゆくえ』有信堂高文社　1993年

加藤博『イスラム世界の常識と非常識』淡交社　1999年

木村修三『中東和平とイスラエル』神戸大学研究双書刊行会　1991年

サミュエル・ハンチントン（鈴木主税訳）『文明の衝突と21世紀の日本』集英社新書　2000年

立山良司『イスラエルとパレスチナ』中公新書　1989年

立山良司『エルサレム』新潮選書　1993年

立山良司、他『国際情勢ベーシックシリーズ　中東』自由国民社　1994年

立山良司『中東和平の行方』中公新書　1995年

日本イスラム協会、嶋田襄平、板垣雄三、佐藤次高監修『イスラム事典』平凡社　1982年

三浦徹、東長靖、黒木英充編『イスラーム研究ハンドブック』栄光教育文化研究所　1995年

宮治一雄編『中東のエスニシティ——紛争と統合』アジア経済研究所　1987年

宮田律『中東政治構造の分析』学文社　1996年

宮田律『イスラム政治運動』日本経済新聞社　1996年

宮田律『イスラム世界と欧米の衝突』NHKブックス　1998年

宮田律『イスラム紛争の深層』時事通信社　1998年

宮田律『中央アジア資源戦略』時事通信社　1999年

宮田律『イスラムでニュースを読む』自由国民社　2000年

宮田律『イスラム・パワー』講談社　2000年

ムハンマド・アリ・アルクーリ（武田正明訳・飯森嘉助監修）『イスラムとは何か』時事通信社　1985年

山内昌之『現代のイスラム——宗教と権力』朝日選書　1983年

＊クレジットのない写真は著者撮影
＊図表作成・山中レタリング研究所

宮田 律（みやた おさむ）

一九五五年、山梨県甲府市生まれ。慶応義塾大学大学院文学研究科修士課程修了。カリフォルニア大学ロスアンゼルス校（UCLA）大学院歴史学科修士課程修了。現在、静岡県立大学国際関係学部助教授。専攻は、イスラム地域研究、国際関係論。イスラム過激派の活動とイデオロギーの解明をテーマに、イスラム各国・地域を取材。主な著書に『イスラム・パワー』『イスラムでニュースを読む』『中央アジア資源戦略』『イスラム世界と欧米の衝突』など。

現代《げんだい》イスラムの潮流《ちょうりゅう》

集英社新書〇〇九六A

二〇〇一年六月二〇日 第一刷発行
二〇〇一年一〇月八日 第三刷発行

著者……宮田《みやた》律《おさむ》
発行者……谷山尚義
発行所……株式会社集英社
東京都千代田区一ツ橋二-五-一〇 郵便番号一〇一-八〇五〇
電話 〇三-三二三〇-六三九一（編集部）
〇三-三二三〇-六三九三（販売部）
〇三-三二三〇-六〇八〇（制作部）

装幀……原 研哉
印刷所……凸版印刷株式会社
製本所……加藤製本株式会社

定価はカバーに表示してあります。

© Miyata Osamu 2001

ISBN 4-08-720096-5 C0214

Printed in Japan

造本には十分注意しておりますが、乱丁・落丁（本のページ順序の間違いや抜け落ち）の場合はお取り替え致します。購入された書店名を明記して小社制作部宛にお送り下さい。送料は小社負担でお取り替え致します。但し、古書店で購入したものについてはお取り替え出来ません。なお、本書の一部あるいは全部を無断で複写複製することは、法律で認められた場合を除き、著作権の侵害となります。

a pilot of wisdom

集英社新書　好評既刊

「中国人」という生き方
田島英一　0083-C

大好きだからここまで書ける。日本人とは似て非なる庶民の素顔を軽妙に伝える痛快おもしろ中国人論。

リスクセンス
ジョン・F・ロス　佐光紀子訳　0084-B

多くの危険と隣り合わせの現代。日常生活でのリスクの自己管理を考える、21世紀人の「生活の知恵」。

「わからない」という方法
橋本 治　0085-C

「わからない＝恥」だった世紀は終わった！　自作に即して自らの「方法」を追求した、初のビジネス書!?

囲碁の知・入門編
平本弥星　0086-H

考える力を育て、老化防止に役立つ知的ゲームの奥深き世界を、初心者にもファンにも分かりやすく紹介。

アメリカの巨大軍需産業
広瀬 隆　0087-A

ミサイルから難民支援の輸送機までを供給、世界情勢を左右する巨大ビジネスの、危険な実態に迫る。

臨機応答・変問自在
森 博嗣　0088-G

科学、雑学から人生相談まで、人気ミステリィ作家で工学部助教授の著者が学生たちの珍問奇問に答える！

芭蕉
饗庭孝男　0089-F

前句を受けて即興で句を詠む連句。「知」の出会いが生み出す世界の中で、俳人は何を目指したのか。

天才アラーキー 写真ノ方法
荒木経惟　0090-F

写真は愛であり人生である！　独自の撮影美学から具体的なテクニックまで、その創作の真髄を明かす。

日本の警察
川邊克朗　0091-B

相次ぐ不祥事。26万人の大組織・日本の警察に何が起きているのか？　その構造的病理を鋭くえぐる。

農から環境を考える
原 剛　0092-G

世界人口61億人突破！　地球は人間をどこまで養えるか。「農」から地球環境のための取り組みを見る。

既刊情報の詳細は集英社新書のホームページへ
http://www.shueisha.co.jp/shinsho/